Puur

ISBN 978 90 33818 58 5
NUR 707
PUUR
© 2008 Ark Boeken – VVHS/BKV,
Donauweg 4, 1043 AJ Amsterdam.
www.arkboeken.nl
Geschreven door: Donald Miller
Vertaald door: Heidi Kleinleugenmors-Voortman
Coverfoto: PM Images © Getty Images
Vormgeving: Remco de Vries
Original edition published in English under the title 'Blue like jazz' by Thomas
Nelson, Inc.
Copyright © 2003 by Donald Miller. All rights reserved. This Licensed Work
published under license.

De bijbelteksten in deze uitgave zijn ontleend aan *De Nieuwe Bijbelvertaling*,
© Nederlands Bijbelgenootschap 2004.

puur

donald miller

BLUE LIKE JAZZ

verlangen naar
echt geloof

Voor David Gentiles

Inhoud

PUUR

Van de auteur

Ik heb nooit van jazzmuziek gehouden omdat jazzmuziek niet valt te verklaren. Maar op een avond stond ik bij het Bagdad Theater in Portland en zag ik een man op een saxofoon spelen. Ik stond een kwartier naar hem te kijken en hij deed zijn ogen niet open.

Sindsdien houd ik van jazzmuziek.

Soms moet je gezien hebben dat iemand van iets houdt voor je er zelf van kunt houden. Het is alsof ze je moeten laten zien hoe dat moet.

Vroeger hield ik niet van God omdat God niet valt te verklaren. Maar dat was voordat dit alles gebeurde.

De eerste generatie na de slavernij in Amerika vond jazzmuziek uit.
Het is een vrije gevoelsuitdrukking.
Het komt uit de ziel en het is oprecht.

1

Het allereerste begin

God die over een zandweg naar me toe komt lopen

Ik heb eens een Indiaan op televisie gezien die zei dat God zich in de wind en in het water bevond. Ik dacht erover na hoe mooi die gedachte was omdat dat betekende dat je in Hem kon zwemmen of dat je Hem in een briesje je gezicht aan kon laten raken. Ik begin nog maar net met mijn verhaal, maar ik geloof dat het zich uit zal strekken tot in de eeuwigheid. En in de hemel zal ik terugkijken op deze begindagen, deze dagen waarop het leek dat God over een zandweg naar me toe kwam lopen. Jaren geleden was Hij een heen en weer bewegend vlekje in de verte; nu is Hij zo dichtbij dat ik Hem kan horen zingen. Nog even en dan zie ik de lijntjes op zijn gezicht.

Mijn vader ging bij ons weg toen ik nog jong was, dus toen ik het beeld van God als Vader voor het eerst hoorde, stelde ik me Hem voor als een stijve, vleiende man die bij ons in huis wilde komen en met mijn moeder het bed wilde delen. Ik kan me dit alleen herinneren als een angstaanjagend en bedreigend idee. We waren een arm gezin dat naar een rijke kerk ging, dus stelde ik me God voor als een man die veel geld had en in een grote auto reed. In de kerk vertelden ze ons dat we kinderen van God waren, maar ik wist dat Gods familie beter was dan de mijne. Ik wist dat hij een dochter had die cheerleader was en een zoon die voetbal speelde. Ik ben geboren met een kleine blaas en plaste tot ik tien was in bed en werd later smoorverliefd op het populaire meisje dat bij ons thuiskwam en dat op een politieke manier vriendelijk tegen me was, iets wat ze waarschijnlijk had geleerd van haar vader, die bankdirecteur was. En zo was de kloof die mij van God scheidde al vanaf het allereerste begin zo diep als rijkdom en zo breed als traditie.

In Houston, waar ik ben opgegroeid, veranderde het weer alleen omstreeks eind oktober, als de kou vanuit Canada naar beneden kwam. Weermannen in Dallas belden dan weermannen in Houston, zodat de mensen wisten dat ze hun planten naar binnen moesten halen en op hun honden moesten letten. De kou kwam via de autosnelweg naar beneden, lang en blauw, reflecterend in de spiegelende ramen van grote gebouwen. Hij stak de Golf van Mexico over alsof hij wilde bewijzen dat lucht omvangrijker is dan water. In Houston loopt in oktober iedereen rond met een energie alsof ze de volgende dag tot president worden verkozen, alsof ze gaan trouwen.

In de winter was het voor mij gemakkelijker om in God te geloven en ik denk dat dat te maken had met het andere weer, met de kleur van de bladeren aan de bomen, met de rook van de open haarden van grote huizen in rijke buurten waar ik op de fiets rondreed. Ik geloofde half dat als God in een van die buurten woonde, Hij me binnen zou nodigen, warme chocolademelk voor me zou maken en met me zou praten, terwijl zijn kinderen met de Nintendo speelden en vuile blikken over hun schouders wierpen. Ik reed in die buurten rond tot mijn neus bevroor, ging daarna naar huis, waar ik mezelf opsloot in mijn kamer, een plaatje van Al Green opzette en de ramen opengooide om de kou te voelen. Urenlang lag ik languit op mijn bed en ik stelde me voor hoe het was om in een groot huis te wonen, bezoek te krijgen van belangrijke vrienden op nieuwe fietsen, wier vaders dure kapsels hadden en werden geïnterviewd op het nieuws.

Ik heb mijn eigen vader maar drie keer ontmoet. Ieder bezoek was in mijn jeugd en tijdens ieder bezoek was het koud. Hij was basketbaltrainer en ik weet niet waarom hij weg ging bij mijn moeder. Ik weet alleen dat hij lang en knap was en naar bier rook; zijn kraag rook naar bier, zijn handen roken naar bier en zijn ruwe, ongeschoren gezicht rook naar bier. Ik drink zelf geen bier, maar de diepte van die geur is me altijd bijgebleven. Mijn vriend Tony de Rapper drinkt bier en de geur brengt me op een plezierige plek die alleen bestaat in de herinneringen aan mijn jeugd.

Mijn vader was een grote man. Ik denk dat hij langer was dan de meeste vaders en hij was stevig als een boomstam en sterk als een rivier tijdens vloed. Toen ik mijn vader voor de tweede keer bezocht, zag ik hem een bal door een gymzaal gooien. Hij mikte hem al draaiend in de basket aan de andere kant van de zaal, het bord dat erachter zat trillend achterlatend. Mijn vader kon niets doen of ik aanschouwde het als een wonderbaarlijk gebeuren. Ik keek hoe hij zich schoor, zijn tanden poetste en zijn sokken en schoenen aantrok met bewegingen die meer uit spier dan uit gratie bestonden. Ik stond daar maar bij de deur van zijn slaapkamer in de hoop dat hij mijn ongemakkelijke blik niet zag. Ik keek aandachtig toe hoe hij een biertje openmaakte. Het blikje zat verborgen in zijn grote hand, het schuim spoot over de rand, zijn rode lippen slurpten het vocht op en zijn tong proefde aan zijn snor. Hij was een briljante machine.

Als mijn zus en ik op bezoek waren bij mijn vader, aten we iedere avond van de grill, iets wat we met mijn moeder nooit deden. Mijn vader verkruimelde crackers in het vlees en voegde er zout en sausjes aan toe en ik dacht dat hij misschien wel een soort kok was. Iemand die boeken zou moeten schrijven over het klaarmaken van vlees. Daarna nam hij mij en mijn zus mee naar de winkel en kocht speelgoed voor ons. Wat voor speelgoed we maar wilden. We liepen door het lange pad met glimmende prijzen, de vrachtwagens en Barbies en pistolen en spellen. In de rij voor de kassa klampte ik de glimmende, gladde doos stilletjes tegen me aan. Op de terugweg gingen we om beurten op zijn schoot zitten, zodat we konden rijden.

Degene die niet stuurde bediende de versnellingspook en degene die het stuur bediende kon uit mijn vaders blikje bier drinken.

Het is niet mogelijk om iemand meer te bewonderen dan dat ik die man bewonderde. Door die drie keer dat ik bij hem op bezoek ben geweest ken ik de mengeling van liefde en angst die alleen bestaat in het beeld dat een jongen van zijn vader heeft.

Er zaten jaren tussen zijn telefoontjes. Mijn moeder nam de telefoon aan en ik zag aan de manier waarop ze stil in de keuken stond dat hij het was. Een paar dagen later zou hij op bezoek komen. Hij was iedere keer weer ouder geworden – nieuwe rimpels, grijs haar en kringen rond zijn ogen – en binnen een paar dagen zouden we een weekend naar zijn appartement gaan. Tegen de tijd dat ik naar de middelbare school ging, verdween hij compleet uit mijn leven.

o   o   o

Vandaag de dag vraag ik me af waarom God sowieso naar zichzelf verwijst als 'Vader'. In het licht van de aardse uitvoering van deze rol komt het op me over als een marketingfout. Waarom zou God zichzelf Vader willen noemen als er zoveel vaders zijn die hun kinderen in de steek laten?

Toen ik nog een kind was bracht de titel *God de Vader* me in dubbelzinnige onzekerheid waar ik mee om moest leren gaan. Ik begreep wat een vader deed en ook wist ik wat de taak van een herder was. Al het vocabulaire over God leek uit de oude geschiedenis te komen, voor de tijd van videospellen, zakcomputers en internet.

Als je me ernaar had gevraagd had ik je denk ik gezegd dat er een God was, maar zou ik geen specifieke definitie kunnen formuleren die op mijn persoonlijke ervaring was gebaseerd. Misschien kwam dat omdat mijn zondagsschoollessen er veel aan deden om ons geboden te leren onthouden en weinig om ons te leren wie God was en hoe je met Hem kon praten. Of misschien leerden ze ons dat wel, maar luisterde ik er niet naar. In elk geval vond ik die onpersoonlijke God prima, want ik had de echte niet nodig. Ik had geen behoefte aan een godheid die zich vanuit de hemel naar me toeboog om mijn neus af te vegen, dus deed het er allemaal niet toe. Als God over een zandweg naar me toe wandelde, bevond Hij zich aan de andere kant van een heuvel. Ik stond in elk geval nog niet op de uitkijk.

o   o   o

Ik begon met zondigen toen ik ongeveer een jaar of tien was. Ik geloof dat ik tien was, hoewel het ook wel eerder kan zijn geweest, maar tien is zo ongeveer de leeftijd waarop een jongen begint te zondigen, dus ik ben ervan overtuigd dat het zoiets was. Meisjes beginnen met zondigen als ze drieëntwintig zijn of zo, maar zij leven het leven een stuk rustiger door hun natuur en storten zich niet overal in.

Eerst zondigde ik maar in kleine beetjes – leugentjes, licht afwijkende verhaaltjes aan leraren over huiswerk en dat soort dingen. Ik beheerste het vak goed. Ik keek mijn leraar nooit recht in de ogen, praatte altijd snel, vanuit mijn middenrif, nooit bezorgd over de zaak van bedriegerij.

'Waar is je huiswerk?' vroeg mijn leraar.

'Ik ben het verloren.'

'Je bent het gisteren verloren. Je bent het vorige week verloren.'

'Ik verlies voortdurend dingen. Ik moet het echt leren.' (Wees altijd afkeurend over je gedrag.)

'Wat moet ik met je aan, Donald?'

'Ik ben dankbaar voor uw geduld.' (Wees altijd dankbaar.)

'Ik zou je moeder eigenlijk moeten bellen.'

'Ze is doof. Bootongeval. Piranha.' (Wees altijd dramatisch. Gebruik handgebaren.)

Ik gebruikte ook veel krachttermen. Niet de kerkelijke krachttermen – *jee* en *goh, ah gossie* en *gossiemijne* – maar grote, robuuste

krachttermen zoals je die tegenkomt in films die volgens de kijkwij-
zer onder begeleiding van volwassenen moeten worden gekeken.
Woorden die mannen onderling gebruiken. Krachttermen zijn erg
opwindend als je twaalf bent. Ze tintelen in je mond als een bat-
terij op de tong. Roy, toentertijd mijn beste vriend, en ik liepen van
school naar huis en hielden halt bij het speelplaatsje bij de Methodistische kerk om Travis Massie en zijn zus Patty uit te schelden.
Travis lachte Roy altijd uit omdat zijn achternaam Niswanger was.
Het duurde twee jaar voor ik begreep waarom de naam Niswanger
zo grappig was.

Woorden veranderden in vuisten tegen het einde van dat jaar
en ik was dertien toen ik mijn eerste vuist te pakken had. Recht in
mijn gezicht. Hij kwam van Tim Mitchell, de kleine blonde jongen
die naar mijn kerk ging. De hele tijd liepen we om elkaar heen te
draaien en hij zei dat hij mij een dikke lip zou slaan en ik schreeuwde krachttermen in niet afgemaakte zinnen; enge krachttermen. Hij
sloeg me in mijn gezicht en ik ging onderuit onder een hemel die
zo helder en zo blauw was als jazzmuziek. Kinderen lachten, Patty
Massie wees met haar vinger en Roy was in verlegenheid gebracht.
Er volgde een hoop geschreeuw en Tim krabbelde terug toen Roy
zei dat hij Tim een dikke lip zou slaan.

Maar nog voor dit alles gebeurde, toen ik nog op de kleuter-
school zat, werd ik naar het kantoortje van het schoolhoofd gestuurd
omdat ik tijdens het middagdutje onder de jurk van een meisje had
gekeken. Waarschijnlijk heb ik dat echt gedaan, maar niet met het
onmiddellijk gesuggereerde motief. Het is meer waarschijnlijk dat
haar rok in de weg zat van iets wat ik echt wilde bekijken, omdat ik me die leeftijd nog goed kan herinneren en weet dat ik toen
niet geïnteresseerd was in wat zich mogelijk onder de jurk van een
meisje bevond. Ik kreeg van meneer Golden een enorme preek over
hoe belangrijk het was een heer te zijn. Als hij stond, kwam hij net
iets boven zijn bureau uit. Hij had een vinger die kwispelde als de
staart van een hond en een stropdas met een knoop die zo groot

was als een tumor en hij had evengoed over natuurkunde of politiek kunnen praten, want ik was niet geïnteresseerd in datgene waar ik ook niet geïnteresseerd in mocht zijn. Maar in de zomer van mijn twaalfde levensjaar veranderde alles.

Aan de overkant van de straat waar Roy's huis stond, was een enorm open veld dat in tweeën was gedeeld door de spoorlijn. En daar identificeerde ik me voor het eerst met de Adam waar aan het begin van de Bijbel over gesproken wordt, omdat ik daar mijn eerste naakte vrouw zag. We waren aan het fietsen toen Roy strui- kelde naast een tijdschrift met pagina's die opzichtig waren gevuld met een kleurig lettertype en spullen uit slechte advertenties. Roy naderde het tijdschrift met een tak en ik stond achter hem terwijl hij de pagina's van een afstandje omsloeg met het stokje. Het leek alsof we een deur vonden naar een wereld van magie en wonderen, waar schepselen in de puurste vorm van schoonheid bestaan. Ik zeg dat we een deur vonden, maar het was nog iets meer dan dat; het was alsof we *door* een deur werden geleid, omdat ik in mijn borst en aan het tempo van mijn hartslag voelde dat ik op avontuur was. Ik voelde me zoals een misdadiger zich misschien voelt als hij een pistool trekt in een bank.

Uiteindelijk nam Roy het tijdschrift in zijn handen, verslond de pagina's langzaam een voor een en gaf het aan mij nadat we het bos in waren gegaan, weg van het spoor dat zo vertrouwd was voor ons en onze fietsen. We praatten niet, sloegen alleen pagina's om, bekeken de miraculeuze vormen, de schoonheid die niet werd geëvenaard door alle bergen en rivieren samen. Ik voelde dat ik een geheim te zien kreeg, een geheim dat iedereen in de wereld altijd al had gekend, maar dat voor mij verborgen was gehouden. We zaten daar urenlang tot de zon onderging. Toen verborgen we onze schat onder boomstronken en takken en zwoeren we elkaar dat we nie- mand over onze vondst zouden vertellen.

Die avond in bed speelde mijn geest de beelden af als een film. Ik voelde de gejaagde energie van een rivier die door mijn onderste ingewanden stroomde, die in getijden door de grijze massa van mijn geest kabbelde en me in een soort extase bracht waar ik niet meer uit vandaan wilde komen. Deze nieuwe informatie leek het gras groen te maken en de lucht blauw en nu, voor ik erom had gevraagd, werd me een reden om te leven gegeven: naakte vrouwen.

o   o   o

Dit alles baande de weg voor mijn eerste ontmoeting met schuld, iets wat nog steeds iets compleet raadselachtigs voor me is, alsof buitenaardse wezens boodschappen van een andere planeet overbrachten die me vertelden dat er in dit heelal goed en fout bestaat. En niet alleen seksuele zonde bracht schuldgevoelens met zich mee, ook leugens en gemene gedachten en samen met Roy stenen tegen auto's gooien veroorzaakten ze. Mijn leven werd iets wat ik wilde verstoppen; er waren geheimen. Mijn gedachten waren persoonlijke gedachten, mijn leugens waren grenzen die mijn gedachten beschermden, mijn scherpe tong een wapen om mijn lelijke ik te beschermen. Ik sloot mezelf op in mijn kamer en isoleerde mezelf van mijn zus en mijn moeder. Niet om daar te kunnen zondigen, maar simpelweg omdat ik een schepsel van zonderlinge geheimzinnigheid was geworden. In die tijd kwamen mijn vroege denkbeelden over religie in het spel.

De denkbeelden die ik op de zondagsschool leerde, de ideeën over zonde en dat we niet zouden moeten zondigen, bleven me kwellen. Het voelde alsof ik mezelf moest verlossen, zoiets wat een kind voelt als hij eindelijk besluit zijn kamer schoon te maken. Mijn vleselijke denken had een puinhoop in mijn hoofd gemaakt en ik voelde me alsof ik in de deuropening van mijn geest stond, me afvragend waar te beginnen en hoe mijn gedachten te organiseren zodat ze niet meer zo onbeheersbaar waren.

Toen besefte ik dat religie misschien in staat was om de boel schoon te spuiten en me weer normaal kon maken zodat ik plezier kon hebben zonder dat ik me schuldig voelde of zo. Ik wilde gewoon niet meer aan dat schuldgedoe hoeven denken.

Voor mij bestond er echter een psychische muur tussen religie en God. Ik kon rondwandelen binnen religie en nooit, op geen enkel emotioneel niveau, begrijpen dat God een persoon was, een echt Wezen met gedachten en gevoelens en dat soort dingen. Voor mij was God meer een idee. Het was zoiets als een fruitautomaat, een serie ronddraaiende plaatjes, die beloningen uitdeelde op basis van gedrag en, misschien, toeval.

De fruitautomaat-God bood verlichting voor het rinkelende schuldgevoel en gaf me hoop dat mijn leven wat meer ingericht zou worden in de richting van een doel. Ik was te stom om de waarde van het idee van die fruitautomaat uit te testen. Ik begon simpelweg om vergeving te bidden, denkend dat de kersen misschien op een lijn zouden komen en dat het lichtje bovenop de automaat zou gaan knipperen en er glinsterende muntjes van goed geluk uit zouden komen. Wat ik deed had meer weg van bijgeloof dan van geestelijkheid. Maar het werkte. Als me iets goeds overkwam, dacht ik dat het door God kwam en als iets goeds me niet overkwam, ging ik terug naar de fruitautomaat, knielde neer in gebed en trok nog een paar keer aan de hendel. Deze God stond me erg aan, want je hoefde er bijna niet tegen te praten en er werd ook niet teruggepraat. Maar plezier duurt nooit lang.

Mijn fruitautomaat-God viel uit elkaar op mijn dertiende, op kerstavond. Ik zie die avond nog steeds als 'het wegtrekken van mist', en het blijft een van de weinige keren die ik onder de noemer 'interactie met God' kan scharen. Hoewel ik er half van overtuigd ben dat deze interacties routine zijn, voelen ze eenvoudigweg niet zo bovennatuurlijk als de gebeurtenissen van die avond. Het was heel simpel, maar het was een van die grondige openbaringen die alleen God kan veroorzaken. Wat er gebeurde was dat ik besefte dat ik niet alleen was. Ik heb het niet over geesten of engelen of iets dergelijks; ik heb het over andere mensen. Hoe dwaas het ook klinkt, ik besefte die avond laat dat andere mensen gevoelens en angsten hebben en dat mijn interacties met hen van betekenis zijn. Ik kon hen blij of verdrietig maken door de manier waarop ik met hen omging. Ik kon hen niet alleen blij of verdrietig maken, maar ik was verantwoordelijk voor de manier waarop ik op hen reageerde. Ik voelde me ineens verantwoordelijk. Ik werd verondersteld hen blij te maken. Ik mocht hen niet verdrietig maken. Zoals ik zei, het klinkt zo simpel, maar als je het voor het eerst echt snapt, komt het hard aan.

Ik was compleet van de kaart.

Zo gebeurde het: Ik had voor mijn moeder dat jaar een armoedig kerstcadeau gekocht – een boek met een inhoud die haar totaal niet zou interesseren. Ik had een geldbedrag om cadeaus van te kopen en het meeste ervan gebruikte ik om visspullen van te kopen, omdat Roy en ik in de kreek achter de supermarkt wilden vissen.

De hele familie geeft elkaar de cadeaus op kerstavond en het eigen gezin geeft de volgende morgen cadeaus aan elkaar en zo lag mijn kamer die avond al vol met prachtige geschenken – speelgoed, spellen, snoep en kleren – en terwijl ik in bed lag, telde ik ze in het maanlicht en zette ze op volgorde, het speelgoed op batterijen vooraan en het ondergoed achteraan.

En zo werd ik in het maanlicht voortgedreven door een ongeruste slaap. Toen drong het ineens tot me door dat het cadeau dat ik voor mijn moeder had, was gekocht van het beetje wisselgeld dat nog over was nadat ik mezelf een plezier had gedaan. Ik besefte dat ik de blijdschap van mijn moeder onder mijn eigen materiële verlangens had geplaatst.

Dit was een ander soort schuldgevoel dan alles wat ik voorheen had ervaren. Het was een zware schuld, niet dat soort schuld waar ik iets aan kon doen. Het was een gevoel dat me achtervolgde, het soort gevoel dat je krijgt als je je afvraagt of je twee mensen bent, waarvan nummer twee dingen doet die jij niet kunt verklaren, slechte en vreselijke dingen.

De schuld was zo zwaar dat ik uit mijn bed stapte en op mijn

knieën viel en niet een fruitautomaat-God maar een levend, barmhartig God smeekte om de pijn weg te nemen. Ik kroop mijn kamer
uit naar de gang. Ik stopte voor de deur van mijn moeder en lag
daar wel een uur op mijn ellebogen en gezicht, soms in slaap dom-
melend, voor de last eindelijk weg werd gehaald en ik weer naar
mijn kamer terug kon.

De volgende morgen maakten we de rest van de cadeaus open
en ik was blij met datgene wat ik kreeg, maar toen mijn moeder
haar stomme boek opensloeg, vroeg ik haar om vergeving en zei ik
hoe graag ik wilde dat ik iets beters had gekocht. Zij deed natuurlijk alsof ze het een mooi cadeau vond door te zeggen hoezeer dat
onderwerp haar interesseerde.

Ik voelde me die avond nog steeds vreselijk toen de familie zich
rond een tafel verzamelde die zo vol eten lag dat er een heel koninkrijk van kon eten. Ik zat onderuit in mijn stoel, op ooghoogte van de
schalen met aardappels en maïs en mijn haren gingen recht overeind
staan door de tien pratende vrouwen, die allemaal blij waren dat
het bijna feest was.

En terwijl ze aten en praatten en weer een Kerstfeest voorbij
kletsten, schaamde ik me en vroeg ik me in stilte af of ze wisten dat
ze samen met Hitler aten.

2
Problemen

Wat ik van de televisie leerde

Sommige mensen vliegen door het leven; andere mensen worden er doorheen gesleept. Ik vraag me weleens af of we ons door de tijd bewegen of dat de tijd zich door ons beweegt. Mijn briljante vriend Mitch zegt dat licht, in tegenstelling tot al het andere in het heelal, niet wordt beïnvloed door tijd. Licht, zegt hij, bestaat buiten de tijd. Hij vertelt me dat het wel iets te maken heeft met hoe snel het zich verplaatst en dat het eeuwig is, maar dat het voor natuurkundigen nog steeds een raadsel is.

Ik zeg dit alleen omdat de tijd door me heen bleef reizen. Toen ik jong was dacht ik dat ik een eeuwigheid had om achter dingen te komen. Maar dat had ik niet. Ik had niet lang de tijd om achter dingen te komen. Ik geloof dat de grootste truc van de duivel niet is om ons tot een bepaald kwaad te verlokken, maar om ons onze tijd te laten verspillen. Daarom doet de duivel zo hard zijn best om christenen religieus te laten zijn. Als hij de geest van een mens in een gewoonte kan drijven, voorkomt hij dat diens hart zich met God verbindt. Ik zat ook vast aan gewoonte. Ik ben met kerkgang opgevoed, dus ik was eraan gewend om over God te horen. Hij was als oom Harry of tante Sally, behalve dat we er geen foto's van hadden.

God gaf ook nooit cadeaus. We hadden een aftands huis en een aftandse auto en ik had stripboeken. Nu ik erop terugkijk, denk ik dat God ons zonsondergangen en bossen en bloemen gaf, maar wat betekent dat voor een kind? Het enige wat ik van God hoorde was wat ik op kerstavond hoorde. Dat verhaal heb ik jullie verteld. God maakte dat ik me heel schuldig voelde en dat vond ik helemaal niet leuk. Ik had niet het idee dat ik God kende en toch liet Hij me dat schuldgevoel ervaren. Ik had het gevoel dat het minste wat Hij had kunnen doen was omlaag komen en zichzelf voorstellen en die schuldgevoelens persoonlijk verklaren.

Als je niet van iemand houdt, wordt het irritant als diegene je wel zegt wat je moet doen of moet voelen. Als je van iemand houdt, heb je plezier aan zijn plezier en dat maakt het gemakkelijker om te dienen. Ik hield niet van God omdat ik God niet kende.

Toch wist ik, vanwege mijn eigen gevoelens, dat er iets mis was met mij. En ik wist dat ik niet de enige was. Ik wist dat dat voor iedereen gold. Het was als een bacterie of kanker of een trance. Het zat niet aan de oppervlakte; het zat in de ziel. Het openbaarde zichzelf in eenzaamheid, lust, woede, jaloezie en depressie. Het verpestte mensen vreselijk, overal waar je ze tegenkwam – in de winkel, thuis, in de kerk; het was lelijk en het zat heel diep. Veel zangers op de radio zongen erover en de politie had er haar werk aan te danken. Het was alsof we gebroken waren, dacht ik, alsof we werden geacht die lastige emoties niet te voelen. Het was alsof we getikt waren, niet goed konden liefhebben, niet lang goede dingen konden voelen zonder het weer te verzieken. We waren als benzinemotoren die op diesel liepen. Ik was nog maar een kind, dus kon ik er geen woorden aan geven, maar ieder kind voelt het. (Dan heb ik het over de gebroken kwaliteit van het leven.) Een kind denkt dat er monsters onder zijn bed liggen of hij sluit zichzelf op in zijn kamer als zijn ouders ruzie maken. Al vanaf heel jonge leeftijd wordt onze zielen geleerd dat deze wereld een gemakkelijke en ongemakkelijke kant heeft, een goede en een slechte, zo je wilt, een lieflijke en een angstaanjagende. Voor mij leek het alsof er teveel angstaanjagends was en ik wist niet waarom dat er was.

Problemen

Kort geleden werd ik aan dit alles herinnerd.

o   o   o

Het begon terwijl ik televisie keek. Ik woon samen met vier andere mannen, behoorlijke coole jongens in een behoorlijk cool huis in Laurelhurst. Ik heb een kamer op de bovenste verdieping. Het is voor iedereen verstopt, verborgen achter een deur aan de achterkant van de ruimte boven. De muren van mijn kamer zijn van cederhout, zoals je ze aan zou treffen in een houten hutje. Voor mijn raam staat een berk die zo groot en statig is dat ik vaak het gevoel heb dat ik me in zijn takken bevind. 's Avonds als het regent, klinken de berkengeluiden als publiek dat een staande ovatie geeft. Als de boom begint te klappen ga ik soms bij het raam staan en zeg ik 'dank u, dank u,' alsof ik Napoleon ben.

In mijn muren met houten panelen zitten deuren met houten panelen die toegang geven tot de bergruimte. Achter een van die deuren heb ik een televisie gezet en 's avonds lig ik in bed en kijk ik tv. Als je schrijver en spreker bent, kun je beter geen tv kijken. Het is oppervlakkig. Ik voel me schuldig omdat ik mezelf heel lang niet heb toegestaan televisie te kijken en dat ik dat feit in gesprekken liet vallen om indruk te maken op andere mensen. Ik dacht dat ik dan deftig over zou komen. Maar een paar jaar geleden bezocht ik een kerk in een van de voorsteden en daar sprak een blaaskaak van een prediker over hoe televisie je brein aantast. Hij zei dat onze geest als we televisie kijken niet harder werkt dan als we slapen. Dat vond ik een verrukkelijke gedachte. Nog diezelfde middag kocht ik er een.

Zodoende keek ik pas naar *Nightline* met Ted Koppel. Hij is niet zo gevat als Ray Swarez maar hij doet zijn best en dat telt ook. Hij is in Congo, in Afrika, geweest en dat was verschrikkelijk. Ik bedoel, zijn programma is wel oké, maar met Congo gaat het beduidend minder. In de afgelopen drie jaar zijn daar meer dan twee-enhalf miljoen mensen gedood. Alle acht stammen voeren oorlog met de andere zeven. Genocide. Terwijl de beelden zich over het beeld bewogen, lag ik in bed en voelde me zo Amerikaans en veilig, alsof Congo iets was uit een boek of een film. Het is voor mij bijna onmogelijk om het idee te verwerken dat er zo'n plek bestaat in dezelfde wereld als Portland. De dag daarna had ik een afspraak met Tony de Rapper in Horse Brass en ik vertelde hem over dat verhaal op *Nightline*.

'Ik wist dat dat zich daar afspeelde,' zei Tony. 'Maar ik wist niet dat het zo erg was.' Ik noem Tony een Rapper omdat hij altijd van die wijde Europese shirts draagt, die een borstsluiting hebben met een veter. Zijn hoofd is geschoren en hij heeft een sik die zo'n tweeenhalve centimeter onder zijn kin uitsteekt. Eigenlijk is hij helemaal geen dichter.

'Het is verschrikkelijk,' vertelde ik hem. 'Tweeënhalf miljoen mensen dood. In een dorp hebben ze ongeveer vijftig vrouwen geïnterviewd. Ze waren allemaal verkracht en de meeste van hen meerdere keren.'

Tony schudde zijn hoofd. 'Ongelofelijk. Het is zo moeilijk om je voor te stellen hoe zulke dingen kunnen gebeuren.'

'Ik weet het. Ik snap het ook niet. Ik blijf me afvragen hoe mensen zulk soort dingen kunnen doen.'

'Denk je dat jij in staat bent zoiets te doen, Don?' Tony keek me vrij serieus aan. Ik kon eerlijk gezegd niet geloven dat hij die vraag stelde.

'Waar heb je het over?' vroeg ik.

'Ben jij in staat om een moord te plegen, iemand te verkrachten of die andere dingen te doen die zich daar afspelen?'

'Nee.'

'Dus je bent niet in staat om iets van dat alles te doen?' vroeg hij weer. Hij stopte zijn pijp en keek me aan om mijn antwoord bevestigd te krijgen.

'Nee, dat zou ik niet kunnen,' zei ik hem. 'Waar doel je op?'

'Ik wil gewoon weten wat die lui daar anders maakt dan jij en ik. Het zijn mensen. Wij zijn mensen. Waarom zullen wij een haar beter zijn dan hen?'

Daar had Tony me mooi tuk. Als ik zijn vraag met ja zou hebben beantwoord, betekende dat dat ik gewelddaden kon begaan en dat ik slecht was. Maar als ik nee antwoordde, suggereerde ik dat ik geloofde dat ik beter ontwikkeld was dan sommige mannen in Congo. En dan had ik evengoed wat uit te leggen.

'Jij gelooft dat we in staat zijn om zulke dingen te doen, hè, Tony?'

Hij stak zijn pijp aan, zoog eraan tot de tabak oranje oplichtte en liet toen een rookwolk ontsnappen. 'Ik denk het, Don. Ik weet niet hoe ik die vraag anders zou moeten beantwoorden.'

'Wat je in feite zegt, is dat we een zondige natuur hebben, zoals fundamentalistische christenen zeggen.'

Tony haalde de pijp van zijn lippen. 'Dat lijkt er inderdaad op, Don. Het verklaart gewoon zo'n hoop.'

'Eigenlijk,' vertelde ik hem schoorvoetend, 'heb ik altijd al ingestemd met het idee dat we een zondige natuur hebben. Ik denk niet dat het er precies zo uit ziet als de fundamentalisten zeggen, want ik ken zoveel mensen die geweldige dingen doen, maar ik ben het wel eens met het idee dat we gebrekkig zijn, dat er iets in ons is dat gebroken is. Ik denk dat het gemakkelijker is om slechte dingen te doen dan goede. En in dat basisfeit zit gewoon iets, een kleine aanwijzing naar de betekenis van het heelal.'

'Grappig, hè, hoe weinig we daar over nadenken?' Tony schudde zijn hoofd.

'Je ziet het werkelijk overal, hè?' We hadden het over de gebrekkige natuur van ons bestaan.

'Ja,' begon Tony. 'Ik had een stel vrienden op bezoek. Ze hebben een kind van vier of vijf of zo en ze vertelden over de opvoeding. Ze zeiden dat hun kind een probleempje had met de waarheid vertellen. Of hij iets wel of niet kapot had gemaakt, of hij wel of niet zijn speelgoed op had geruimd, je weet wel, dat soort dingen. Later

27

begon ik me af te vragen waarom we kinderen überhaupt opvoe-
den. Ik vroeg me af wat er zou gebeuren als ik meerdere kinderen
had en ik voedde een van hen wel op, leerde hem wat goed en slecht
was, en ik voedde de andere helemaal niet op. Ik vroeg me af welk
kind dan beter zou zijn.'

'Het kind dat je had geleerd wat goed en slecht was, natuurlijk,'
zei ik tegen hem.

'Natuurlijk, maar dat zegt dus iets over de menselijke staat. We
moeten zijn onderwezen om goed te kunnen zijn. Het komt niet natuurlijk. Ik denk dat dat een gebrek in de menselijke staat is.'

'Helemaal mee eens,' zei ik instemmend. 'Waarom hebben we
politie nodig?'

'Zonder politie zou er chaos zijn,' zei Tony nuchter. 'Kijk maar
naar de landen met een corrupt politieapparaat. Daar heerst anarchie.'

'Anarchie,' herhaalde ik.

'Anarchie!' bevestigde Tony met een soort lach.

'Soms denk ik dat het met mij wel goed zou gaan als er geen
politie was. Vanaf dat ik kind was is me geleerd wat goed en slecht
is. Maar het is een feit dat ik totaal anders rijd als er een politieagent
achter me rijdt dan wanneer dat niet het geval is.'

En waar Tony en ik het over hadden is de waarheid. We vinden
het moeilijk om toe te geven dat we een zondige natuur hebben
omdat we in een bepaald rechtssysteem zitten. Als we betrapt worden, worden we gestraft. Maar daar worden we geen goede mensen
van; het maakt ons alleen onderworpen mensen. Denk maar aan
het Amerikaanse Congres en de Senaat en zelfs de president. Het
kenmerk van het Amerikaanse systeem is niet vrijheid; het kenmerk
van het Amerikaanse systeem is balans. Niemand krijgt alle macht.
Iedereen houdt iedereen in de gaten. Het is alsof de staatsstichters
het van binnen wisten, de onbewaakte menselijke ziel is verdorven.

o   o   o

Eerder die middag, de middag dat ik met Tony af had gesproken, gingen mijn vriend Andrew de Protesteerder en ik de stad in om te protesteren tegen de president. Ik had het gevoel dat Bush de Wereldbank blindelings steunde en achtte de regering, tot op een bepaalde hoogte, verantwoordelijk voor datgene wat in Argentinië gebeurde. Andrew en ik maakten borden en kwam een paar uur te vroeg daar aan. Duizenden mensen hadden zich al verzameld. De meeste protesteerden tegen ons Irakbeleid. Andrew en ik maakten foto's van onszelf voor de agenten, massa's agenten, allemaal gekleed op oproer zoals stormtroepleden uit *Star Wars*.

Op Andrews bord stond 'Stop Amerika's Terrorisme' – hij had *terrorisme* verkeerd gespeld. Ik voelde me machtig in de zee van mensen. De meeste mensen hadden ook borden bij zich en riepen leuzen tegen corporaties die slaven maken van Derde Wereldarbeiders en de Republikeinen die deze ondernemingen zoveel macht en vrijheid geven. Ik voelde me ver van mijn opvoeding verwijderd, van mijn bekrompen vroegere ik, het ik dat altijd geleerd had dat de Republikeinen de zaak van Christus voorstonden. Ik voelde me ver verwijderd van mijn pre-ik, de marionetchristen die Republikein was omdat mijn familie Republikein was, niet omdat ik had gebeden en God had gevraagd me te verlichten met betrekking tot zaken die de hele wereld aangingen in plaats van alleen Amerika.

Toen de president eindelijk op kwam dagen, liep het hoog op. De politie klom op paarden en dreef ze tussen de menigte door om ons terug te dringen. We schreeuwden als één man dat een paard geen wapen is, maar ze luisterden niet. De limo van de president kwam zo snel de hoek om dat ik dacht dat hij er misschien uit zou komen rollen. Zijn auto werd gevold door een stoet van glimmend zwarte busjes en terreinwagens. Ze leidden hem naar een achterdeur waar we door een dichtgeketend hek konden zien hoe hij uit zijn limousine stapte, wat hoogwaardigheidsbekleders de hand schudde en temidden van een zwerm agenten van de geheime dienst het gebouw binnenging. Ik stak mijn bord heel hoog omhoog voor het geval hij onze kant op zou kijken.

De president hield een rede in het hotel en vertrok via een zij-deur en ze voerden hem weg voor we hem een hand konden geven of onze bezorgdheden uit konden spreken. Toen we klaar waren, begon ik me af te vragen of we iets bereikt hadden. Ik begon me af te vragen of we echt in staat waren de wereld te veranderen. Ik bedoel, natuurlijk konden we dat – we konden ons koopgedrag aanpassen, sociaal bewuste volksvertegenwoordigers kiezen en dat soort dingen, maar ik geloof eerlijk gezegd niet dat we met onze in-spanningen de grotere menselijke conflicten op kunnen lossen. Het probleem zit 'em niet in een bepaald soort wetgeving of zelfs een bepaalde politicus; het probleem is hetzelfde probleem als altijd.

Ik ben het probleem.

Ik denk dat ieder bewust persoon, ieder persoon die zo helder is om de functionerende principes binnen zijn werkelijkheid te zien, een moment heeft waarop hij stopt het groepsdenken, de mensheid en het gezag de schuld te geven van de problemen in de wereld, een moment waarop hij naar zichzelf begint te kijken. Ik haat dit meer dan al het andere. Dit is voor mij het moeilijkste principe om mee om te gaan binnen het christelijk geloof. Het probleem ligt niet er-gens daarbuiten; het probleem is het arme beestachtige iets dat in mij leeft.

De dag dat we demonstreerden en ik bier dronk met Tony be-sefte ik dat het me niet sierde om tegen Amerika's verantwoorde-lijkheid met betrekking tot de armoede in de wereld te protesteren terwijl ik zelf niet eens geld aan mijn eigen kerk gaf, die een gewel-dige bediening onder daklozen had. Ik begon me een behoorlijke hypocriet te voelen.

En meer nog dan de vragen over het effect van sociale acties waren er vragen over mijn eigen motieven. Wil ik sociale gerechtig-heid voor de onderdrukten of wil ik gewoon bekend staan als een sociaal actief persoon? In elk geval bracht ik zo'n 95 procent van mijn tijd door met denken over mezelf. Ik hoef het journaal niet te zien om te zien dat de wereld slecht is, ik hoef alleen maar naar mezelf te kijken. Ik ben mezelf hier nu niet aan het intimideren; ik zeg alleen dat ware verandering, ware levensgevende, Godvererende verandering zou moeten beginnen bij het individu. Ik was het probleem waartegen ik demonstreerde. Ik wilde een protestbord maken waarop stond 'IK BEN HET PROBLEEM!'

Die avond, nadat Tony en ik hadden gepraat, reed ik met mijn motorfiets de Mount Tabor op, de slapende vulkaan even ten oosten van het Hawthorne District. Dichtbij de top is een plek waar je kunt zitten en over de nachtelijke stad kunt kijken, die als kolen en as onder de eeuwige jeugd ligt te smeulen en als juwelen onder de maan ligt uitgestald. Het is echt iets moois. Ik ging er naartoe om vat te krijgen op het idee dat het probleem in het heelal binnenin mij leeft. Ik kan niets bedenken dat progressiever is dan het aangrijpen van dit fundamentele idee.

o   o   o

De letterkundige criticus C.S. Lewis heeft een gedicht gemaakt dat min of meer een bekentenis is. Toen ik het voor het eerst las, identificeerde ik me zo sterk met zijn gevoelens dat ik het gevoel had dat iemand mijn naam riep. Ik kom altijd bij dit gedicht terug als ik somber over mijn geloof denk, over de algemene principes van het christelijk geloof, over de mooie leer die aangeeft dat we gebrekkig zijn, dat een ieder van ons gebrekkig is, de corrupte politicus en de vrome zondagschooljuf. In het gedicht kijkt C.S. Lewis naar zichzelf. Hij spreekt zijn eigen verdorvenheid op een dappere manier toe.

Al die holle frasen over houden van jou.
Sinds ik geboren ben heb ik nog nooit een onzelfzuchtige gedachte gehad.
Ik ben door en door geldbelust en egoïstisch;
Ik wil dat God, jij, alle vrienden, mij ten dienste zijn.

PUUR

Vrede, geruststelling, plezier, zijn de doelen die ik zoek,
Ik kan nog geen centimeter buiten mijn eigenlijke huid kruipen;
Ik praat over liefde – de papegaai van een geleerde praat misschien
Grieks –
Maar, gevangen door mezelf, eindig ik altijd waar ik begin.

Terwijl ik daar boven de stad zat, vroeg ik me af of ik niet net zo was als die papegaai in het gedicht van Lewis, heen en weer schommelend in mijn kooi, Homerus citerend, terwijl ik ondertussen geen idee had wat ik zei. Ik praat over liefde, vergeving, sociale gerechtigheid; ik ga uit altruïsme tekeer tegen het Amerikaanse materialisme, maar heb ik mijn eigen hart wel onder controle? Het overgrote deel van de tijd ben ik druk met aan mezelf denken, mezelf een plezier doen, mezelf geruststellen en als ik daarmee klaar ben is er niets meer over voor de mensen die het nodig hebben. Er leven zes miljard mensen in deze wereld en ik kan maar voor één iemand de gedachten verzamelen. Ik. Mijzelf.

Ik ken iemand die zijn vrouw, die ik niet ken, twee keer heeft bedrogen. Hij vertelde me dit tijdens de koffie omdat ik hem vertelde dat ik dacht dat de mens misschien wel gebroken was; dat het voor een mens was alsof hij tegen de stroom in moest zwemmen als hij goede en morele dingen wilde doen. Hij vroeg zich af of God me in het geheim over zijn ontrouw had verteld. Hij kermde een beetje en praatte tegen me alsof ik een priester was. Hij bekende alles. Ik zei hem dat het me speet, dat het verschrikkelijk klonk. En het klonk ook verschrikkelijk. Zijn lichaam was aangegrepen door schuld en zelfhaat. Hij zei dat hij 's nachts naast zijn vrouw lag en het gevoel had dat er betonnen muren tussen hun harten stonden. Hij had geheimen. Ze probeert om van hem te houden, maar hij weet dat hij dat niet verdient. Hij kan haar liefde niet accepteren omdat ze van een man houdt die niet bestaat. Hij speelt een rol. Hij zegt dat hij een acteur is in zijn eigen huis.

Hoewel hij gemaakt was om goed te doen, stamelde mijn vriend zijn verhaal en blies hij zijn stoom af. De ziel was hier niet voor gemaakt, dacht ik. We werden geacht goed te zijn, wij allemaal. We werden geacht goed te zijn.

Terwijl ik daar boven de stad zat, probeerde ik me het leven even voor te stellen zonder eigenliefde. Ik vroeg me af hoe mooi het zou zijn als we anderen belangrijker achtten dan onszelf. Ik vroeg me af hoe vreedzaam het zou zijn als we niet zouden worden getreiterd door die kinderachtige stem die plezier en aandacht wil. Ik vroeg me af wat het zou betekenen om niet in een spiegelpaleis te wonen, waar ik overal waar ik me bevind aan mezelf wordt herinnerd.

Die avond op Mount Tabor begon het te regenen. Ik reed door de regen naar huis op mijn motorfiets, iets waar ik een vreselijke hekel aan heb omdat de straten zo glibberig zijn. Ik kwam met witte knokkels en helemaal nat thuis. Mijn kamer was zoals altijd warm en uitnodigend door zijn houten panelen en de statige berk voor het raam.

Ik ging op mijn bed zitten en keek naar mijn boom, die applaudisseerde door de regen. Die avond voelde ik me niet bepaald Napoleon. Ik werd er niet zo graag aan herinnerd dat ik zo erg door mezelf in beslag werd genomen. Ik wilde dat het voorbij was en dat ik er klaar mee was. Ik wilde niet in een gebroken wereld of een gebroken ik leven. Ik probeerde er niet tussenuit te knijpen, ik was die avond gewoon niet in de stemming om op aarde te zijn. Dat heb ik soms als het regent of als ik bepaalde verdrietige films zie. Ik zette een nieuwe plaat op, zette het volume harder en ging de badkamer binnen om mijn handen en gezicht te wassen.

Nu weet ik uit ervaring dat de weg naar vreugde door een donkere vallei kronkelt. Ik denk dat ieder goed afgesteld menselijk wezen eerlijk met zijn eigen verdorvenheid af moet rekenen. Ik besef dat dit erg christelijk klinkt, erg fundamentalistisch en intimiderend, maar ik wil je datgene waarvan de christenen zeggen dat het de waarheid is niet onthouden. Ik denk dat Jezus het idee van onze gebrokenheid duidelijk naar voren brengt en ik denk dat het onze aandacht waard is. Niets verandert iets aan de situatie in Congo totdat jij en ik erachter komen wat er mis is met de persoon in de spiegel.

3
Magie
Het probleem met Romeo

Toen ik nog kind was, nam mijn moeder me een keer mee naar David Copperfield, de goochelaar. Volgens mij was ze verliefd op hem. Het was in hetzelfde jaar dat hij het Vrijheidsbeeld op de nationale televisie liet verdwijnen. Later liet hij een vliegtuig verdwijnen en nog later verloofde hij zich met Claudia Schiffer.

Aan het begin van de show zei David Copperfield dat magie niet bestaat. Alles wat hij zou doen, zou illusie zijn. Hij stapte in een doos en zijn sexy assistentes draaiden de doos op zijn kop. Toen ze hem weer openmaakten was hij er niet meer. Hij liet een dame zweven. Hij veranderde een tijger in een papegaai en toen weer in een tijger alleen in de verkeerde kleur en daarna weer in een tijger met de juiste kleur. Iedereen was ademloos. Voor mij zat een man met een dik hoofd, dus ik moest wat naar voren zitten om het te kunnen zien.

Later werd ik zelf goochelaar. Mijn moeder kocht een goocheldoos voor me en ik bestudeerde het boek dat erbij zat. Ik kon van drie losse touwtjes een lang touw maken en van een lang touw drie losse touwtjes. Ik kon een muntje dwars door een bord laten gaan. Ik raadde elke kaart die je uit de stapel trok. Ik was verbazingwekkend. Ik zou er heel erg goed in worden, een sexy assistente inhuren en naar Vegas verhuizen. Maar na een paar maanden begon ik gefrustreerd te raken omdat alles wat magie was maar een trucje was, wat betekende dat het niet echt magisch was, maar een illusie. Ik besloot niet meer zo kinderachtig te willen zijn en nam me voor om astronaut met een sexy assistente te worden. Ik stelde mezelf voor in een fantastische witte astronautenoutfit met een meisje dat op Katie Couric leek en dat schaapachtig toekeek hoe ik de hendels en knoppen in onze vliegende schotel bediende. Om de zoveel minuten zou Katie mijn voorhoofd afvegen.

Iedereen wil wel fantastisch zijn. Zelfs als hij of zij verlegen is. Ik heb een vriendin die zo verlegen is dat ze in haar broek plast als je naar haar kijkt. Ze doet het niet echt, maar wel bijna. Ze ziet er ook heel goed uit, maar ze gaat nooit uit omdat ze zo verlegen is. Als je haar niet vrij goed kende, zou je niet denken dat ze iets anders zou willen doen dan zich verstoppen in een kast. Je zou niet denken dat ze iemand zou willen zijn waar mensen naar kijken, maar toen ik haar leerde kennen, vertelde ze me dat ze actrice wilde worden. Als je haar hebt leren kennen, vergeet je hoe verlegen ze is, dus zei ik tegen haar dat ze dat moest doen; ze ziet er zeker goed genoeg uit om actrice te worden. Maar later dacht ik dat het misschien toch niet zo'n goed idee zou zijn, omdat ze dan waarschijnlijk voor heel veel mensen moet optreden en begint te huilen of zo omdat ze zo verlegen is.

Ik heb nooit acteur willen zijn, maar ik wilde wel altijd een rockster worden. Zelfs toen ik goochelaar was wilde ik rockster zijn. Toen ik jong was, luisterde ik naar de radio en deed ik alsof ik de zanger was en dat er een publiek van duizenden mensen was, waarvan de meisjes die ik kende zich op de eerste rij bevonden. Ik zwaaide naar ze terwijl ik zong en ze gilden zo hard dat hun hoofd zowat ontplofte. Ik wilde rockster worden, maar geen acteur.

Ik ben naar een toneeluitvoering geweest. Het was *Romeo en Julia* en het was een afspraakje. Het was mijn eerste afspraakje ooit. Hoewel ik zelf nooit heb willen acteren, was het een goede zet om met een meisje naar een toneelstuk te gaan. Mijn vriendinnetje zat zo dicht tegen mij aan dat ik haar neusademhalingen kon horen. Ze voelde zo warm aan als het zonlicht en zo zacht alsof ze speciale zeep gebruikte.

Hoewel het een goede zet is om een meisje mee naar een toneelstuk te nemen, verprutste ik het.

In het stuk heb je een gedeelte waar Julia, de hoofdrolspeelster, op een balkon staat en Romeo, de hoofdrolspeler, zich verstopt in de bosjes eronder. Het is vrij spannend want Julia zegt hoeveel ze van Romeo houdt, maar ze weet niet dat Romeo in de bosjes zit. Eerst was het geweldig. Mijn vriendinnetje schurkte zich zo dicht tegen me aan dat ik de zachtheid van haar zij en de gladheid van haar armen die om de mijne waren geslagen voelde. Ik vond het vrij sentimenteel wat de acteurs allemaal zeiden, maar om de paar minuten maakte ik wat geluid alsof ze iets fantastisch hadden gezegd. Als ik dat deed, keek mijn vriendinnetje me vol ontzag aan. Het is echt een goed idee om wat geluid te maken als je bij een toneelstuk bent.

Mijn vriendinnetje zat helemaal in het liefdesverhaal, maar ik geloofde er niets van. Ik liet me niet inpakken. Ik geloofde een hoop van de onzin die ze uitkraamden gewoon niet. Julia bleef maar doorgaan over dat Romeo zijn familie moest verloochenen en Romeo zei: *Duh, oké.* Toen zei Julia dat Romeo zo lekker rook als een roos. *Duh, oké,* zei hij.

En dan de hoofdzinnen, de zinnen waarvan ik weet dat het stuk daarop draait:

> *Romeo: Noem mij geliefde en ik zal worden gedoopt;*
> *Voortaan ben ik niet langer Romeo.*

Later in het stuk doden ze elkaar per ongeluk. Het komt niet heel geloofwaardig over, maar zo gebeurde het. Mijn vriendinnetje huilde. Ik vond dat ze hun verdiende loon kregen. Op mij kwam het nogal stom over. Ik begreep niet alles waar ze over praatten, maar wat ik wel begreep, was volgens mij voor meisjes geschreven. Mensen zouden echt grenzen aan emotie moeten stellen. Toen we naar buiten liepen, pakte mijn vriendinnetje mijn hand vast en hoewel ik niet in zo'n sentimentele bui was, glimlachte ik naar haar. We liepen door het pad en baanden ons een weg door de mensenmassa op de trappen van het theater. Overal waren meisjes, allemaal met betraande ogen. Twee meisjes voor ons praatten met elkaar. Een van hen gooide haar armen in de lucht en riep uit: *Ik wilde dat ik zo'n liefde kende als Romeo en Julia!*

Ik kon er niet meer tegen. Ik fluisterde: *Die zijn dood.*

Ik dacht dat niemand me hoorde, maar mijn vriendinnetje hoorde het wel. Twee meisjes naast ons verstonden me ook en zij zeiden het tegen de mensen naast hen. Een idiote vent herhaalde wat ik had gezegd en wees lachend naar me. Alle meisjes keken naar me alsof ik zojuist op een kat was gestapt. Het lichaam van mijn vriendinnetje werd koud. Ze liet mijn hand los. Ze sloeg haar armen voor haar borst en liep een paar meter voor mij uit, terug naar de auto. Op de terugweg zat ze zo dicht tegen de deur aan de passagierszijde aan dat ik dacht dat ze er uit zou vallen. Toen we bij haar huis kwamen, vroeg ik haar of ze nog eens met me uit wilde.

'Ik denk het niet,' zei ze.

'Waarom niet?'

'Ik denk niet dat ik je leuk kan vinden.'

'Waarom niet? Zullen we zoenen? Ik heb gehoord dat dat meisjes helpt om verliefd te worden.'

'Je bent slecht,' zei ze. 'De Antichrist!'

Ze ging haar huis binnen en gooide de deur naar onze relatie met een klap dicht. Eerlijk gezegd vond ik haar sowieso al niet leuk. Ze was wel knap en zo, maar ik was niet helemaal verkikkerd op haar. Ik was dan ook maar een klein beetje verdrietig.

Mijn moeder had me haar pinpas meegegeven dus ging ik op de terugweg wat chips en donuts halen. Ik zat op de parkeerplaats van het tankstation en dacht na over die arme oude Romeo, die smeekte om liefde, er met zijn vrouw vandoor ging en toen per ongeluk stierf. Sommige afspraakjes lopen slecht af, dat is een feit. Als je het me toen had gevraagd, zou ik je hebben gezegd dat hij al vanaf het begin af aan gedoemd was te mislukken. Ik dacht dat omdat hij in magie geloofde. Hij geloofde dat hij nieuw zou worden, een andere naam zou krijgen, gedoopt en schitterend zou zijn als hij zich aan Julia wist te verbinden.

Iedereen wil fantastisch en nieuw zijn. Niemand wil zichzelf zijn. Ik bedoel, mensen willen misschien wel zichzelf zijn, maar ze willen anders zijn, met andere kleren of korter haar of minder vet. Het is een feit. Als er iemand was die gewoon zichzelf wilde zijn en niet iemand anders, zou die persoon de meest vreemde persoon op aarde zijn en zou iedereen willen zijn zoals hij.

Op een avond zag ik op tv een informatief reclamespotje over een mes dat een laars doormidden kon snijden en vervolgens nog scherp genoeg was om er een tomaat mee te kunnen snijden. Ze noemden het een Wondermes. Een andere keer zag ik een schoonmaakmiddel met sinaasappelsap dat bloed uit het tapijt kon halen. Ze zeiden dat het magisch werkte.

Het hele idee van iedereen die iemand anders wil zijn, was een belangrijk inzicht voor mij met betrekking tot het liefhebben van God. God had iets wat ik wilde. Maar God bevond zich nog wel steeds in hetzelfde schuitje als de man die de messen verkocht en Julia die beloofde Romeo nieuw te zullen maken. Iedereen overdrijft als hij probeert iets te verkopen. Iedereen zegt dat zijn product magisch werkt. Op dat moment zag ik Gods aanbod als een magisch plan, wat het ook is. Maar de meeste magische plannen zijn trucs. Hoe ouder je wordt, des te moeilijker is het om in magie te geloven. Hoe ouder je wordt, hoe beter je begrijpt dat de tovenaar van Oz niet bestaat en slechts een sukkel in een gordijn is. Ik zag onze voorganger als een verkoper of een goochelaar, die de gemeente probeerde aan te praten dat het geloof in Jezus ons nieuw kon maken. Eerlijk gezegd kwam het op mij over alsof hij zichzelf probeerde te overtuigen. Alsof hij maar half geloofde wat hij vertelde. Het is niet zo dat ik dacht dat het christelijk geloof complete oplichterij was, maar meer dat het daar wat elementen van vertoonde.

De boodschap sprak me echter wel aan. God zei dat Hij me nieuw zou maken. Ik kan geen seconde doen alsof ik niet nieuw wilde worden gemaakt, dat ik niet een nieuwe start wilde maken. Dat wilde ik wel.

o o o

Het christelijk geloof had aspecten die me aanstonden en aspecten die ik vervelend vond. Ik wist niet wat ik ermee aan moest. Ik voelde dat ik moest beslissen wat ik geloofde. Ik wenste dat ik lid kon worden van bepaalde aspecten van het christendom, maar niet van alles.

Ik zal het uitleggen.

Ik bracht veel van de christelijke leer in verband met kinderverhalen omdat ik ben opgegroeid in de kerk. Mijn zondagsschoolleraren hadden van bijbelverhalen kindersprookjes gemaakt. Ze vertelden van Noach en de ark omdat daar dieren in voor kwamen. Ze verzuimden te noemen dat God in dit verhaal de hele mensheid uitmoordde.

Het verwarde me ook dat sommige mensen maar naar delen van de Bijbel keken en niet naar het geheel. Ze negeerden een hoop overduidelijke vragen. Ik had het gevoel dat het religieuze systeem het christendom een product was dat uit elkaar bleef vallen. En degene die het verkocht hield de kapotte stukken achter zijn rug en probeerde ieders aandacht af te leiden.

Ik had het gevoel dat de christenen dat kinderverhalengedoe achter hun rug verstopten. De Hof van Eden, de val van de mensheid, was een vrij onschuldig verhaal en Noach en de ark, en dat soort verhalen, kwamen ook behoorlijk sprookjesachtig op mij over.

Magie

Het duurde even voor ik erachter kwam dat deze verhalen, die vaak voor kinderen worden gebruikt, helemaal geen kinderverhalen zijn. Ik denk dat de duivel ons mooi tuk heeft door ons te laten denken dat zoveel van de bijbelse theologie verhalen voor kinderen zijn. Hoe komen we erbij om te denken dat het verhaal van No-achs ark geschikt is voor kinderen? Kun je je een kinderboek over Noachs ark voorstellen met afbeeldingen van mensen die snakkend naar adem ronddrijven in liters water, van moeders die hun kin-deren meesleuren terwijl hun lichamen door witkolkende rivieren worden meegezogen, van kinderen die met hun hoofdjes tegen de rotsen beuken of vast komen te zitten aan gevallen bomen? Ik denk niet dat je van zo'n kinderboek veel exemplaren zou verkopen.

Ik kon mezelf niet overgeven aan het christendom omdat het een religie was voor naïevelingen. Om in het christendom te kunnen geloven, moest je enorme theologische dwaasheden tot kinderver-halen reduceren of ze negeren. Het hele verhaal leek mijn intellect niet te kunnen bevatten. Maar niets van dit alles was gedefinieerd; het speelde zich voornamelijk af in mijn onderbewustzijn.

o   o   o

Vanuit de meest onwaarschijnlijke bronnen kwam hulp. Ik volgde een cursus literatuur aan de universiteit en daarin bestudeerden we de elementen van een verhaal: achtergrond, conflict, climax en ont-knoping.

Toen ik aan het studeren was, bekroop me de vreemde gedachte dat we niet wisten waar de elementen van een verhaal vandaan ko-men. Ik bedoel, we hebben misschien de naam van degene die ze bedacht heeft, maar we weten niet waarom ze bestaan. Ik begon me af te vragen waarom het hart en het verstand op deze specifieke formule van het vertellen van verhalen reageren. Dus splitste ik het uit. Achtergrond: Dat was makkelijk; ieder verhaal heeft een achter-grond. Mijn achtergrond is Amerika, de aarde. Achtergrond begrijp ik omdat ik die ervaar. Ik zit in een kamer, in een huis, in dit huis leven nog andere hoofdpersonen, dat soort dingen. De reden dat mijn hart achtergrond kon begrijpen was omdat ik die ervaar.

Maar dan was er conflict. Ieder goed verhaal bevat een conflictsituatie. Sommige conflicten zijn intern, andere extern, maar als je een goed verkopende roman wilt schrijven, moet je een conflict hebben. We begrijpen conflict omdat we conflict ervaren, toch? Maar waar komt conflict vandaan? Waar ervaren we conflictsituaties in ons leven? Dit heeft me erg op weg geholpen met het accepteren van het idee van erfzonde en de oorsprong van conflict. De opstand tegen God verklaarde waarom mensen conflict in hun leven ervaren en niemand kent een andere verklaring dan deze. Dit laatste punt was cruciaal. Het voelde alsof ik een goddelijke openbaring kreeg. Zonder de christelijke uitleg van erfzonde, het ogenschijnlijk onschuldige verhaal over Adam en Eva en de boom van de kennis van goed en kwaad, was er geen verklaring van conflict. Helemaal niet. Sommige mensen beschouwen het verslag van de oorsprong van de zonde in het boek Genesis als een metafoor, als symboliek voor iets anders wat gebeurde; maar of je het nu metaforisch of letterlijk opvat, het biedt een adequate uitleg voor de menselijke strijd die ieder persoon ervaart: eenzaamheid, jezelf 's avonds in slaap huilen, verslaving, trots, oorlog en zelfverslaving. Ik kwam tot de conclusie dat het hart op het conflict in het verhaal reageert omdat we in dit universum met een geweldig conflict te kampen hebben, ook al is het maar in het onderbewuste. Als we niet iets van conflict in ons leven ervaren, zou ons hart niet op conflicten in boeken of films hoeven te reageren. Het idee van conflict, van spanning, onzekerheid of een vijand, zou ons dan niets zeggen. Maar het zegt ons wel wat. We begrijpen deze elementen omdat we ze zelf ervaren. Het christelijk geloof verklaarde waarom, al wilde ik dat echt niet toegeven.

En dan het element in het verhaal dat climax heet. Ieder goed verhaal heeft een climax. De climax is het beslissende moment voor het einde van het verhaal. Dit maakte me een beetje bang. Als het menselijk hart de instrumenten van de realiteit gebruikt om elementen van een verhaal te creëren en het menselijk hart reageert op de climax in de structuur van het verhaal, betekent dat dat climax, of beslissend moment, even goed iets kan zijn wat in het universum bestaat. Ik bedoel dat het menselijk hart een beslissing moet maken. De elementen van een verhaal begonnen parallel te lopen aan mijn begrip van het christelijk geloof. Het christendom bood een beslissing, een climax. Het bood ook een goede en een slechte ontknoping. Voor een deel waren onze beslissingen bepalend voor de manier waarop een verhaal afliep.

Dit was griezelig omdat duizenden jaren lang allerlei langharige predikers hebben gepraat over het idee dat we een keuze moeten maken om Christus te volgen of af te wijzen. Ze boden dit idee aan als een soort magische oplossing voor het dilemma van het leven. Ik heb er altijd een hekel aan gehad om dat te horen omdat het zo'n vreselijk ouderwets iets leek om in te geloven, maar het verklaarde wel een hoop dingen. Misschien wezen hun ouderwetse ideeën op een geheimzinnige waarheid. En misschien beoordeelde ik het idee wel niet op zijn waarde, maar op basis van de ouderwetse of nieuwerwetse overdracht van de boodschap.

o o o

Een hele tijd geleden ging ik met mijn vriendin Rebecca naar een concert. Rebecca kan beter zingen dan iedereen die ik ooit heb horen zingen. Ik hoorde dat er een folkzanger in de stad kwam en ik dacht dat zij hem wel zou willen horen omdat ze ook zangeres is. De tickets kostten twintig dollar, wat een hoop geld is als het je vriendinnetje niet is. Maar tussen zijn liedjes door, vertelde hij een verhaal dat me hielp sommige dingen over God te verklaren. Het verhaal ging over zijn vriend die bij de marine zat. Hij vertelde het alsof het waar was, dus ik ga er maar vanuit dat dat zo was, hoewel het evengoed een leugen had kunnen zijn.

De folkzanger vertelde dat zijn vriend meedeed aan een geheime operatie. Ze moesten gijzelaars bevrijden uit een gebouw in een of ander duister deel van de wereld. Het team van zijn vriend vloog er per helikopter naartoe, ging het gebouw in en stormde de kamer binnen waar de gijzelaars maandenlang gevangen hadden gezeten. Volgens de folkzanger was de kamer vies en duister. De gijzelaars zaten doodsbang weggedrukt in een hoek. Toen de mariniers de kamer binnenkwamen, hoorden ze de gijzelaars naar adem snakken. Ze bleven bij de deur staan en riepen naar de gevangenen, zeiden dat ze Amerikanen waren. De mariniers vroegen de gijzelaars hen te volgen, maar dat wilden ze niet. Ze bleven daar maar op de vloer zitten en hielden hun handen angstig voor hun gezicht. Ze konden niet meer helder denken en geloofden niet dat hun redders echt Amerikanen waren.

De mariniers stonden daar, niet wetend wat te doen. Waarschijnlijk konden ze niet iedereen naar buiten dragen. Een van de mariniers, de vriend van de folkzanger, kreeg een idee. Hij deed zijn wapen weg, zette zijn helm af en kroop dicht tegen de gijzelaars aan. Hij was zo dichtbij hen dat zijn lichaam sommige van hun lichamen aanraakte. Hij liet zijn blik wat zachter worden en sloeg zijn armen om hen heen. Hij probeerde hen te laten zien dat hij een van hen was. Geen van de bewakers van hun gevangenis zou zoiets hebben gedaan. Hij bleef zo even zitten totdat een van de gijzelaars naar hem begon te kijken en hem uiteindelijk recht in de ogen keek. De marinier fluisterde dat ze Amerikanen waren en dat ze daar waren om hen te redden. 'Wil je ons volgen?' zei hij. De held ging staan en een van de gijzelaars deed hetzelfde. Toen ging er nog een staan, totdat ze allemaal bereid waren om mee te gaan. Het verhaal eindigt als alle gijzelaars zich veilig in het Amerikaanse vliegtuig bevinden.

Ik vond het nooit leuk als predikers zeiden dat we Jezus moesten volgen. Soms lieten ze Hem kwaad klinken. Maar wat de folkzanger vertelde stond me wel aan. Het idee van Jezus die mens werd, zodat wij in staat zouden zijn om Hem te vertrouwen. En ik hield ervan dat Hij mensen genas en van hen hield en erg bewogen was met hoe mensen zich voelen.

Toen ik begreep dat de beslissing om Jezus te volgen erg veel leek op de beslissing die de gijzelaars moesten nemen om hun redder te volgen, wist ik dat ik moest beslissen of ik Hem wel of niet wilde volgen. De beslissing was gemakkelijk toen ik mezelf vroeg: *Is Jezus de Zoon van God, worden we gevangen gehouden in een wereld die wordt beheerst door Satan, een wereld gevuld met gebrokenheid en geloof ik dat Jezus me uit die toestand kan redden?*

Als het leven een climax had, wat wel zo moest zijn aangezien elk verhaal een climax weerspiegelt, bood ook het christelijk geloof een climax. Het bood een beslissing.

Het laatste element van een verhaal is de ontknoping. Het christelijk geloof bood een oplossing, de oplossing van vergeving en een thuis in het hiernamaals. Het klonk me weer erg achterlijk in de oren, maar tegen die tijd wilde ik het wanhopig graag geloven. Het voelde alsof mijn ziel gemaakt was om het verhaal van het christelijk geloof te leven. Het voelde alsof mijn ziel vergeven wilde worden. Ik wilde de oplossing die God aanbood.

En daar had je het: achtergrond, conflict, climax en ontknoping. Hoe onnozel het ook leek, het voldeed aan de eisen van het hart en het paste bij de feiten van de realiteit. Het voelde meer dan waar, het voelde betekenisvol. Ik begon te geloven dat ik een personage in een groter verhaal was. Daarom waren de elementen van een verhaal allereerst logisch.

Het magische aanbod van het evangelie, ontdaan van de sprookjes-invloeden, klonk me erg volwassen in de oren, erg moedig, zoals iets uit Hemingway of Steinbeck, als een verhaal met overvloedige hoeveelheden seks en bloed. Het christelijk geloof was geen kinderverhaaltje. Het was niet schattig of netjes. Het was geheimzinnig en vreemd en schoon, en het was vuil. Er zat verwondering en betovering in.

Ik dacht dat het christelijk geloof misschien wel het werkelijke verschil tussen illusie en magie bood.

4
Verschuivingen

Een muntje vinden

Sommige christenen in Portland praten over Reed College alsof het de hel is. Ze zeggen dat de studenten op Reed in hun hart heidenen, ongelovigen zijn. Reed werd kort geleden door *Princeton Review* uitgekozen als de universiteit waar studenten God waarschijnlijk het meest negeren. Het is waar. Het is een goddeloze plek, die bekend staat om haar vele existentiële experimenten. Op Reed zijn geen regels en veel van de studenten hebben problemen met gezag. Maar Reedstudenten zijn wel geniaal. Loren Pope, voormalig redacteur onderwijs voor *New York Times*, noemde Reed 'de meest intellectuele universiteit van het land.' Reed ontvangt per saldo meer onderscheidingen en toelages dan iedere andere Amerikaanse universiteit.

Mijn vriend Ross en ik kwamen een hele tijd wekelijks bij elkaar om over het leven en het Oude Testament te praten. Ross gaf daar destijds les over op een lokale school. Soms vertelde Ross over zijn zoon, Michael, die aan Reed studeerde. Tijdens dat jaar dat Ross en ik samenkwamen om over het Oude Testament te praten, had ik gehoord dat Michael het niet zo goed deed. Ross vertelde me dat Michael zijn vriendin zwanger had gemaakt en dat het meisje niet toestond dat hij het kind zag. Zijn zoon was behoorlijk van de kaart.

Tijdens zijn laatste jaar op Reed stierf de zoon van Ross door zelfmoord. Hij sprong van een rots bij de Oregonkust.

Toen dat gebeurd was, had Ross het vreselijk moeilijk. De volgende keer dat we met elkaar afspraken, ongeveer een maand na de tragedie, zat Ross tegenover mij met blauwige wangen en vochtige ogen. Het was alsof alle verdriet van de wereld op hem drukte. Ik kan me tot op deze dag geen grotere pijn voorstellen dan het verliezen van een kind.

Ik heb Michael nooit gekend, maar iedereen die hem kende, hield van hem. De studenten van Reed overspoelden zijn inbox met afscheidsbrieven en briefjes waaruit het ongeloof naar voren sprong. De jaren na Michaels dood, zelfs toen Ross en ik elkaar niet meer wekelijks ontmoetten omdat ik verhuisde, bleef Reed in mijn achterhoofd. Er gingen niet al te veel jaren voorbij voor ik er over nadacht om weer naar school te gaan. Ik wist niet precies wat ik wilde studeren, maar ik had gehoord dat Reed een geweldig programma van Geesteswetenschappen aanbood. Ik ben een vreselijke student. Altijd al geweest. Deadlines en tentamens nekken me. Ik kan de druk niet aan. Maar Tony de Rapper zei dat hij erover dacht om een cursus Geesteswetenschappen aan Reed te gaan volgen: oude Griekse literatuur. Hij vroeg me of ik met hem mee wilde doen.

In die tijd ging ik naar een grote kerk in een van de voorsteden. Ik weet niet waarom ik daar naartoe ging. Het paste gewoon niet. Maar ik had er wel een paar vrienden, hele leuke lui, en toen ik ze vertelde dat ik colleges wilde volgen op Reed keken ze me aan alsof ik een afspraak met Satan wilde maken. Een vriendin ging er eens voor zitten en vertelde me alles over die plek, dat ze aan het eind van het collegejaar een driedaags festival hebben waarop iedereen in zijn nakie rondrent. Ze zei dat sommige studenten waarschijnlijk drugs gebruiken. Ze zei tegen me dat God niet wilde dat ik naar Reed College ging.

o o o

De eerste lesdag was stimulerend. Dit was beter dan school. Reed had asbakken en iedereen gebruikte krachttermen.

In de groep van Geesteswetenschappen waren vierhonderd nieuwelingen. Doctor Peter Steinberger, het hoofd van de universiteit, gaf een hoorcollege waar ik ongeveer tien procent van begreep. Maar de tien procent die ik begreep was briljant. Ik vond het geweldig. Ik maakte geluiden terwijl hij onderwees. Bromgeluiden, geluiden die instemden met zijn gepassioneerde uitspraken.

Na college ging ik vaak naar *Commons* om koffie te halen en mijn aantekeningen te ordenen. In *Commons* kwam ik Laura tegen, die me, hoewel ze atheïst was, heel veel over God leerde. Haar vader, van wie ze veel hield en die ze erg bewonderde, was een methodistische geestelijke in Atlanta en toch was zij de enige in haar familie die het bestaan van God niet aan kon nemen. Ze zei dat haar familie ondanks alles nog evenveel van haar hield, dat er geen spanning was vanwege haar weerstand tegen het geloof. Laura en ik spraken na ieder hoorcollege met elkaar af om de onderwerpen die die dag aan de orde waren gekomen na te bespreken. Ik geloof niet dat ik ooit iemand heb ontmoet die zo geniaal was als Laura. Ze leek de gecompliceerde thema's van de Griekse literatuur in te drinken alsof het strips waren.

'Wat vond je van het college?' vroeg ik haar op een keer.

'Ik vond het wel oké.'

'Alleen oké?' vroeg ik.

'Ja. Ik bedoel, deze universiteit wordt verondersteld nogal uitdagend te zijn en ik werd niet zozeer uitgedaagd. Als je het mij vraagt niet zo'n goede start. Ik hoop dat ze de koekjes niet het hele jaar door op een lagere plank zetten.'

'Koekjes?' vroeg ik. Ik dacht dat ze koekjes had.

Laura ging verder met uitleg geven over de ideeën die ik niet begreep. Met de tijd kwam ze erachter dat ik christelijk was, maar we praatten er niet veel over. Normaal gesproken hadden we het over literatuur of over het hoorcollege van die dag, maar op een dag bracht Laura een vreemd onderwerp naar voren: racisme in de geschiedenis van de kerk. Ze was van Georgia naar Portland verhuisd, waar ze, hoewel ze atheïst is, in een kerk het soort racistische discriminatie aantrof waarvan de meeste van ons denken dat het vijftig jaar geleden ophield te bestaan. Ze vroeg me heel serieus wat ik van het racismeprobleem in Amerika vond en of de kerk een schuilplaats was van dat soort haat. Om eerlijk te zijn, het was al lang geleden dat ik daar over na had gedacht. Net na de middelbare school was ik bezeten van Martin Luther King en las ik de meeste van zijn boeken, maar sindsdien was het onderwerp naar de achtergrond van mijn gedachten gedrongen. Laura keek naar beneden in haar koffiekopje en zei niets. Ik wist uit eerdere gesprekken dat ze in Atlanta een zwarte student als vriend had gehad. Hij studeerde nu aan Morehouse College, waar Dr. King zelf een graad had gehaald. Haar vraag was niet filosofisch bedoeld. Hij was persoonlijk.

Ik vertelde haar hoe frustrerend het is om christen te zijn in Amerika en hoe niet alleen de gebreken van de kerk op het gebied van mensenrechten me frustreren, maar ook mijn persoonlijk in gebreke blijven om aan de oplossing bij te dragen. Ik vroeg me echter hardop af of er niet een groter probleem was en ik maakte per abuis de ongevoelige opmerking dat racisme misschien slechts een klein probleem was in vergelijking met de grotere problemen waarmee we hebben te kampen.

'Racisme geen belangrijk probleem?!' vroeg ze heel streng.

'Nou, niet dat het geen probleem is, maar dat het een minder groot probleem is.'

'Hoe kun je dat nu zeggen?' Ze ging onrustig achterover zitten in haar stoel. 'Don, het is een enorm probleem.'

Eerst krabbelde ik een hele tijd terug, maar toen begon ik uit te leggen wat ik bedoelde. 'Ja, ik snap dat het een verschrikkelijk en pijnlijk probleem is, maar in het licht van het hele plaatje is racisme een signaal van iets groters. Er is hier een groter probleem dan de spanning tussen etnische groepen.'

'Leg dat eens uit,' zei Laura.

'Ik heb het over zelfvervulling. Als je er over nadenkt, kom je tot de conclusie dat het menselijke ras nogal egoïstisch is. Racisme is misschien het symptoom van een ergere ziekte. Wat ik bedoel is dit: als mens ben ik gebrekkig, want het is moeilijk voor me om anderen boven mezelf te stellen. Het voelt alsof ik tegen die kracht moet vechten, deze stroom in mij die vaker wel dan niet serieuze onderwerpen vermijdt en mezelf een plezier wil doen, dingen voor mezelf wil kopen, mezelf wil voeden, mezelf wil vermaken en dat soort dingen. Ik bedoel te zeggen dat als wij, als menselijk ras, af konden rekenen met onze zelfvervulling, we een hoop problemen in deze wereld konden verbeteren.'

Laura zei die middag niet veel meer, maar een paar weken later spraken we weer af en ze liet doorschemeren dat ze het eens was met het probleem van zelfvervulling. Zij noemde het zonde.

'Wacht,' begon ik. 'Hoe kun je in zonde geloven maar niet in God?'

'Dat is gewoon zo,' zei ze.

'Maar dat kan niet.'

'Ik kan doen wat ik wil.' Ze keek me streng aan.

'Oké,' zei ik, wetend dat zij zou winnen als we zouden gaan discussiëren.

Daarna spraken Laura en ik niet veel meer over religie. Ze droomde ervan om schrijfster te worden, dus hadden we het over literatuur. Ze gaf me artikelen en essays die ze geschreven had. Ik verslond ze. Ze waren geweldig. Het was een enorme eer om haar te mogen kennen. Ik kon diep in mij voelen dat God een relatie met Laura wilde. Ik geloof dat God uiteindelijk een relatie wil met ieder menselijk wezen, maar bij Laura kon ik Gods drang voelen. Maar Laura wilde er niet zoveel mee. Ze bracht het idee van God nooit ter sprake, dus deed ik dat ook niet.

o   o   o

Ik voelde me op mijn plek op Reed. Reed is een van de weinige plaatsen op aarde waar een persoon bijna alles kan doen wat hij wil. Tijdens een van mijn eerste bezoekjes aan de campus was de Amerikaanse vlag omlaag gehaald en vervangen door een vlag met het symbool van anarchie. Hoe raar het ook klinkt omdat ik in de kerk ben opgegroeid, ik werd verliefd op de campus. De studenten waren geniaal en toegewijd. Ik werd er gevoed, gestimuleerd en gepassioneerd. Ik voelde me verbonden met de onophoudelijke stroom van gedachten en ideeën. En bovendien had ik op Reed College meer significante spirituele ervaringen dan ik in de kerk ooit had gehad.

Een van de dingen die ik zo fijn vond aan Reed was dat ik iedere keer dat ik de campus opliep een gesprek aantrof dat ging over zaken die mij aangingen. Studenten van Reed houden van praten. Er waren altijd groepjes studenten die mondiale belangen bespraken en ideeën en visies uitwisselden die sommige van de wereldproblemen zouden kunnen oplossen. Ik werd uitgedaagd door de studenten op Reed omdat ze vooraan stonden in de vele gevechten voor mensenrechten. Sommigen vochten alleen om het vechten, maar de meeste van hen niet; de meeste van hen waren zeer vredelievend. Door met deze gasten te praten kwam ik erachter dat mijn christelijk geloof zo oppervlakkig en zelfgericht was geworden. Velen van de studenten haatten het idee van God, maar toch gaven ze meer om andere mensen dan ik deed.

Er waren maar een paar studenten op de campus die zeiden dat ze christen waren. Hoewel ik alleen maar naar hoorcolleges ging, werd ik toegelaten tot hun kleine clubje. We ontmoetten elkaar iedere week in de kapel om te bidden of in een van de slaapzalen om bijbelstudies te houden. Het was erg ondergronds. Geheim. Op de campus van Reed was altijd weerstand tegen het christendom geweest. Het jaar ervoor hadden een paar christenen op eerste Paasdag een meditatiekamertje op de campus gemaakt. Ze hadden simpelweg de lampen in een kamertje in de bibliotheek uitgedaan en wat kaarsen aangestoken en ze hadden de studenten laten weten dat die kamer daar was als iemand wilde bidden. Toen het Pasen werd, besloten de studenten om te protesteren. Ze kochten een vaatje bier, werden dronken en slachtten een gevuld lam in de meditatiekamer.

De studenten in onze groep namen de gebeurtenis op zoals Christus zou hebben gedaan. Ze waren gekrenkt, wat beledigd, maar vooral diepbedroefd. Het was een heftige gebeurtenis. We voelden ons niet welkom op de campus. Maar ik leerde zoveel van de christenen op Reed. Ik leerde dat ware liefde de andere wang toekeert, iemand zijn fouten niet toerekent en van alle mensen houdt, ongeacht hun onverschilligheid of vijandigheid. De christenen op Reed waren in mijn ogen revolutionair. Ik besef dat de christelijke waarden al heel oud zijn, maar ik had ze nog nooit zo direct zien worden toegepast. De weinige christenen die ik op Reed tegenkwam, lieten me zien dat het geestelijk leven een betrouwbaar geloof was, betrouwbaar voor het intellect en de geest.

Ik wist dat Laura in die groep zou passen. Ik wist dat Laura, ongeacht hoe ver ze van God verwijderd was, Hem zou kunnen leren kennen.

Het verhaal van hoe mijn vriendin Penny God leerde kennen, gaf me hoop voor Laura. Ik werd aan Penny voorgesteld tijdens een feestje op het grasveld voor de universiteit, maar ik vond dat ze te knap was om mee te gaan praten, dus ik droop weer af tussen de menigte. Later dook ze op tijdens een gebedsbijeenkomst in de kamer van mijn vriend Iven en toen leerde ik haar vrij goed kennen. We ontdekten dat we allebei belachelijk onzeker waren en zo werden we vrienden. Penny is het levende bewijs dat Jezus mensen nog steeds najaagt. Zelfs mensen van Reed.

Penny had een geweldige ervaring met God toen ze in Frankrijk studeerde. Ze geeft Nadine, een van de weinige christenen op Reed en lid van ons kleine religieuze clubje, alle lof.

Toen Penny en Nadine elkaar voor het eerst ontmoetten, was Penny geen christen. Ze hadden allebei hun eerste jaar op Reed doorgebracht, maar elkaar nooit ontmoet. Los van elkaar besloten ze het tweede jaar van hun studie naar een universiteit in Frankrijk te gaan.

Penny wilde niets van religie weten. Ze zag christenen als bekrompen mensen, politiek conservatief en hypocriet. Penny hield niet van christenen omdat het leek alsof ze bij ieder humanitair probleem lijnrecht tegenover de mening van vele gelovigen stond. Ze had ook het gevoel dat, als het christendom een persoon zou zijn en alle christenen tot één menselijk wezen zouden worden samengevoegd, dat menselijk wezen haar dan niet zou mogen.

Nadat ze in Frankrijk was aangekomen, had Penny nog eerst een paar weken vakantie in Parijs voor ze naar het noorden naar het Sarah Lawrence College in Rennes zou gaan. Toen ze arriveerde zocht ze contact met sommige van de meisjes waarmee ze samen zou studeren. Een van die meisjes bleek Nadine te zijn. Je moet weten dat Penny en Nadine heel verschillend zijn, haast uitersten. Het is ronduit verbazingwekkend dat ze het zo goed met elkaar kunnen vinden. Ze hadden niet alleen totaal verschillende religieuze ideeën, maar ze kwamen ook uit achtergronden die erg met elkaar in contrast stonden. Nadine, bijvoorbeeld, stamt af van een Schotse adellijke familie en er stroomt nog altijd erg veel praal door haar aderen. Penny was in een groene legertent geboren, in een hippiegemeenschap in de Pacific Northwest.

Ik ga wat dieper in op hun achtergrond zodat je kunt begrijpen waarom het zo interessant is dat deze meiden vriendinnen werden: Nadines grootmoeder was geboren in de Stuartfamilie, een adellijke familie in Schotland. Haar grootmoeder trouwde en verhuisde naar Congo waar de familie als diplomaten voor de Belgische regering werd geplaatst. Nadines moeder werd opgevoed met een hoop slaven, waaronder een chauffeur, een kok, een butler en een kindermeisje. Ze mocht nooit praten tenzij haar ouders eerst aan het woord waren geweest. Nadines moeder runde haar huishouden op dezelfde manier en liet veel van de aristocratische tradities terugkomen.

Toen Nadine en Penny elkaar in Frankrijk ontmoetten, was het alsof ze elkaar vanaf verschillende planeten boodschappen stuurden. Het verhaal van Penny is niet minder interessant dan dat van Nadine. Haar ouders noemden haar Plenty. Ze liet haar naam veranderen kort nadat ze zich realiseerde dat dat kon. In de hippiegemeenschap waar Penny ter wereld kwam, experimenteerden haar ouders met drugs in een poging om de waarheid te vinden. Het experiment mislukte en haar moeder en vader verlieten de gemeenschap en verhuisden naar Florida, waar haar vader werk kreeg op boten.

Penny heeft pijnlijke herinneringen aan haar moeder die waanideeën kreeg. Eerst geloofde ze dat John Kennedy haar minnaar was en toen beweerde ze dat de FBI achter haar aan zat. Toen Penny nog maar een kind was, werd bij haar moeder paranoïde schizofrenie vastgesteld. Vandaag de dag leeft Penny's moeder op straat in Seattle, waar ze onvermurwbaar ieder hulpaanbod weigert, inclusief dat van Penny.

Penny vertelde me eens dat hoe voorzichtig ze de puzzel van haar verleden ook probeerde te leggen, ze zich altijd sneed aan de scherpe randen: het feit dat haar moeder stoned was tijdens de bevalling, de verleidelijke maar bedrieglijke misvattingen die haar als kind werden verteld en het uit elkaar gaan, niet alleen van haar moeder en vader, maar ook van haar moeder, die de realiteit verliet. Als ik Penny voorstel om naar Seattle te rijden om haar moeder op te zoeken, zegt ze dat ik die ervaring niet leuk ga vinden en dat haar moeder me zal haten.

'Ze haat iedereen, Don. Ze denkt dat alle mensen het op haar hebben gemunt. Als ik haar bel in het opvanghuis, komt ze aan de telefoon en hangt ze op. Ze beantwoordt mijn brieven niet. Ze maakt ze waarschijnlijk niet eens open.'

'Maar eens was ze toch normaal?' vroeg ik haar op een keer.

'Ja, ze was mooi en grappig. Ik hield van mijn moeder, Don, en dat doe ik nog steeds. Maar ik haat het dat haar geest in bezit genomen is. Ik haat het dat ik niet normaal met haar kan praten.'

Toen Penny elf was gingen haar ouders uit elkaar en na de scheiding verhuisde ze met haar vader mee naar het westen. Daar zeilden ze een jaarlang over de Grote Oceaan voor ze zich uiteindelijk vestigden in een bergstadje in het oosten van Washington.

Tijdens die eerste drie weken in Frankrijk had Penny er veel steun aan dat Nadine zich zo om haar verleden en haar verhaal bekommerde. Het hielp Penny om naar Nadines verhaal te luisteren en op een avond, toen ze in het zuiden van Frankrijk over het strand liepen, legde Nadine Penny uit waarom ze christen was. Ze zei dat ze geloofde dat Christus revolutionair was, een filantroop uit duizenden, door God gezonden naar een wereld die zichzelf had gebroken. Het frustreerde Penny dat Nadine christen was. Ze kon niet geloven dat een meisje dat zo aardig en begripvol was aan dezelfde religie kon toebehoren die de kruistochten had georganiseerd, de republikeinse partij had gesticht of religieuze televisie produceerde. Maar tijdens dat jaar op Sarah Lawrence, begon Nadines christendom Penny steeds meer te interesseren. Penny begon zich af te vragen of het christendom, als het een persoon zou zijn, haar zou mogen. Ze begon zich af te vragen of zij en het christendom samen konden gaan, of ze misschien dingen gemeen hadden.

Toen Penny me voor het eerst vertelde hoe ze christen is geworden, liepen we door het Laurelhurst Park, het mooie park aan het einde van de straat waar ik woon, waar de lesbiennes hun honden uitlaten.

'Nadine en ik zaten urenlang op haar kamer,' begon ze. 'We praatten vooral over jongens of de studie, maar aan het eind ging het altijd over God. Wat ik zo geweldig aan Nadine vond, was dat ik nooit het gevoel kreeg dat ze me iets probeerde aan te smeren. Ze praatte over God alsof ze Hem kende, alsof ze Hem die dag aan de telefoon had gehad. Ze schaamde zich nooit, wat wel het geval was met sommige christenen die ik had ontmoet. Ze hadden het gevoel dat ze God moesten verkopen, alsof Hij een stuk zeep of een stofzuiger was en het leek alsof ze niet echt naar mij luisterden;

het scheelde ze niet, ze wilden alleen dat ik hun product kocht. Ik besefte dat ik alle christenen beoordeelde op basis van het karakter van een paar. Dat beangstigde me ook, want het was zo makkelijk geweest om christenen af te doen als dwaas, maar toen was er Nadine. Voor haar had ik geen categorie. Voor Nadine was God een wezen met wie ze communiceerde, en Don, Nadine geloofde daarnaast zelfs dat God haar liefhad. Ik vond dat prachtig. En bovenal was haar geloof een spiritueel iets dat een overtuigende mensenliefde produceerde. Ik was werkelijk hysterisch, want ik wilde goed zijn, maar was het niet, ik was zelfzuchtig en Nadine, ja, die was aardig goed. Ik bedoel dat ze niet zelfzuchtig was. Ze vroeg of ik samen met haar het boek Matteüs wilde lezen en dat deden we. Ik wilde weleens zien of dat hele Jezusgedoe echt was. Ik had echter nog steeds serieuze problemen met Jezus, alleen omdat ik Hem met het christendom in verband bracht en ik zou mezelf nooit christen willen noemen. Maar ik besloot dat ik het uit moest zoeken. Dus zei ik ja.'

'Dus toen begon je met bijbellezen?' vroeg ik.

'Ja. We aten chocola en rookten sigaretten en lazen de Bijbel, volgens mij ook de enige manier om het te doen. Don, de Bijbel en chocola gaan zo goed samen. Ik dacht altijd dat de Bijbel meer saladeachtig was, maar dat is niet zo. Het is chocola-achtig. We begonnen Matteüs te lezen en ik vond het echt heel interessant. En ik vond Jezus heel verontrustend, zo direct. Hij was niet diplomatiek en toch leek het alsof Hij me zou mogen als ik hem zou ontmoeten. Don, ik kan je niet uitleggen hoe bevrijdend dat was, het besef dat Jezus me zou mogen als ik Hem zou ontmoeten. Dat gevoel had ik nooit bij de christenen op de radio. Ik dacht altijd dat die mensen me uit zouden schelden als ik ze tegen zou komen. Maar met Jezus was dat anders. Er waren mensen van wie Hij hield en mensen waar Hij heel erg boos op werd en ik bleef me identificeren met de mensen van wie Hij hield. Dat was ook goed, want het waren allemaal gebroken mensen. Je weet wel, het soort mensen dat het leven moe is en er klaar mee wil zijn, of wanhopige mensen, mensen die verschoppelingen of heidenen zijn. Er waren ook anderen, normale mensen, maar hij trok niemand voor, wat op zichzelf al wonderbaarlijk is. Dat feit alleen al was misschien wel het meest bovennatuurlijke wat hij deed. Hij was niet partijdig, iets wat ieder ander mens wel is.'

'Zo heb ik het nog nooit bekeken,' zei ik tegen haar.

'Hij was totaal niet partijdig, Don, en dat zouden wij ook niet moeten zijn. Maar luister, dit is het beste deel. We kwamen bij het deel van het boek waar Jezus over de grond begint te praten.'

'Over de grond?'

'Ja. Er is een stuk in Matteüs waar Jezus over de grond praat. Hij gooit wat zaad op die grond en een deel van het zaad gaat groeien omdat de grond goed is en een deel van het zaad groeit niet omdat het op de rotsen valt of op grond die niet goed is. En toen ik dat hoorde, Don, sprong alles in mij overeind en wilde ik niets anders dan goede grond zijn. Dat is alles wat ik wilde, goede grond zijn! Ik vroeg: *'Jezus, laat me alstublieft goede grond zijn!'*

'Dus toen werd je een christen?'

'Nee. Dat was later.'

'Wat gebeurde er vervolgens?' vroeg ik.

'Nou, later die maand, het was december, was er in de slaapzaal beneden een dol feest aan de gang. Ik was behoorlijk dronken en high en ik voelde me niet zo goed, dus ging ik de trap op om te kijken of mijn vriendin Naomi op haar kamer was. Dat was ze niet, dus ging ik naar beneden naar mijn eigen kamer en daar stortte ik zo ongeveer op de vloer. Ik lag daar een tijdje en toen gebeurde het. Nu moet je beloven dat je me gelooft.'

'Wat moet ik geloven?'

Penny stopte met lopen en stopte haar handen in haar jaszakken.

'Oké, maar ik ben niet gek.' Ze haalde diep adem. 'Ik hoorde God tegen me praten.'

'Tegen je praten?' vroeg ik.

'Ja.'

'Wat zei Hij?'

'Hij zei: "Penny, Ik heb een beter leven voor jou, niet alleen nu, maar voor altijd."' Toen Penny dat zei, deed ze haar hand voor haar mond, alsof ze zo kon voorkomen dat ze ging huilen.

'Echt?' zei ik. 'Zei God dat tegen je?'

'Ja.' Penny praatte door haar hand heen. 'Geloof je me?'

'Ik denk het.'

'Het maakt niet uit of je me gelooft of niet.' Penny begon weer te lopen. 'Zo gebeurde het, Don. Het was idioot. God zei het. Ik was er helemaal ondersteboven van. Ik dacht dat het misschien door de drugs kwam, maar tegelijkertijd wist ik dat dat niet zo was.' Penny legde haar hand op haar voorhoofd en glimlachte hoofdschuddend. 'Ik zou je mijn dagboek van die avond moeten laten lezen. Het was zoiets als: O mijn God, God praatte tegen mij. Nu heb ik dat vreemde gebeuren van God ook. God praat tegen mij. Ik bleef Hem vragen om het nog eens te zeggen, maar dat deed Hij niet. Ik denk omdat ik Hem de eerste keer wel had gehoord.'

'Ja, waarschijnlijk. En werd je toen een christen, die avond dat God tegen je praatte?'

'Nee.'

'Je werd geen christen, zelfs niet toen God tegen je praatte?'

'Nee.'

'Waarom niet?'

'Ik was dronken en high, Don. Om belangrijke beslissingen te nemen moet je toch echt nuchter zijn.'

'Daar zit wat in,' stemde ik in. Maar ik dacht nog steeds dat ze gek was. 'En wat gebeurde er toen?'

'Nou,' begon Penny. 'Een paar avonden daarna ging ik op mijn knieën en zei ik dat ik zo niet langer door wilde gaan. Ik wilde goed zijn, hè? Ik wilde dat God me hielp om om andere mensen te geven, omdat dat alles was wat ik wilde, maar ik was er niet zo goed in.

Ik geloofde al dat Jezus was wie Hij zei dat Hij was, dat Jezus God was. Ik weet niet hoe ik tot die conclusie kwam. Het was niet zoiets als een wiskundesom; het was iets totaal anders, maar ik wist het. Ik wist van binnen dat Hij God was. Maar dit keer bad ik alleen en vroeg ik God om me te vergeven. En toen werd ik christen. Het was vrij simpel.' Penny stopte haar handen weer in haar zakken en keek me met haar prachtige blauwe ogen aan. 'Nou,' zei ze. 'Zo tevreden?' En na die laatste opmerking stak ze haar tong uit en lachte ze.

'Vertel me het verhaal nog eens, Penny. Begin met je aankomst in Frankrijk.'

'Waarom?'

'Omdat het een goed verhaal is. Vertel het nog eens,' zei ik tegen haar.

'Nee. Een keer is genoeg. Je zet het waarschijnlijk in een van je christelijke boeken of zo.'

'Nooit,' zei ik stellig.

5

Geloof

Pinguïns

Het maffe aan het christelijk geloof is dat je het gelooft en dat je het tegelijkertijd niet gelooft. Het lijkt wel een beetje op het hebben van een fantasievriend. Ik geloof in Jezus; ik geloof dat Hij de Zoon van God is, maar iedere keer als ik ervoor ga zitten om het iemand uit te leggen, voel ik me net zo'n waarzegger, iemand die in het circus werkt of een kind dat altijd van alles verzint of iemand bij een Star Trekbijeenkomst die er nog niet achter is dat de show niet echt is.

Totdat.

Als een van mijn vrienden besluit christen te worden, wat maar eens in de tien jaar gebeurt, aangezien ik zo'n schijterd ben als het op het delen van het geloof aankomt, is de ervaring euforisch. In hun ogen zie ik de waarheid van het verhaal.

Iedereen op Reed zei me dat er iets mis was met Laura. Ze zeiden dat ze depressief was of iets dergelijks. Ik kwam haar tegen bij een hoorcollege in Vollum Lounge, waar het door de lange witte muren zo mooi is als in een museum. Laura zat tegenover mij en toen het college voorbij was, ging ze niet weg. Ik ook niet. Ik wilde haar niet lastigvallen, maar ik kon zien dat ze ergens verdrietig om was.

'Hoe gaat het?' vroeg ik.

'Niet goed.' Ze keek me aan. Ik kon aan haar ogen zien dat ze de hele morgen gehuild had.

'Wat is er aan de hand?'

'Alles.'

'Mannen?' vroeg ik.

'Nee.'

'College?' vroeg ik.

'Nee.'

'God?'

Laura keek me alleen maar aan. Haar ogen waren gezwollen en vochtig. 'Ik denk het, Don. Ik weet het niet.'

'Kun je er iets van uitleggen? Hoe je je voelt?'

'Het voelt alsof mijn leven een puinhoop is. Ik kan het niet uitleggen. Het is gewoon een puinhoop.'

'Aha,' zei ik.

'Don, ik wil biechten. Ik heb vreselijke dingen gedaan. Kan ik bij jou biechten?'

'Ik denk niet dat het je wat op zal leveren als je bij mij biecht.' Terwijl ik het zei veegde Laura haar ogen af.

'Het voelt alsof Hij achter me aan zit, Don.'

'Wie zit achter je aan?' vroeg ik.

'God.'

'Ik denk dat dat iets heel moois is, Laura. En ik geloof je. Ik geloof dat God jou wil.'

'Het voelt alsof Hij achter me aan zit,' herhaalde ze.

'Wat denk je dat Hij wil?'

'Ik weet het niet. Ik kan dit niet, Don. Je begrijpt het niet. Ik kan dit niet.'

'Wat kun je niet, Laura?'

'Een christen zijn.'

'Waarom kun je geen christen zijn?'

Laura zei niets. Ze keek me alleen maar aan en rolde met haar vermoeide ogen. Ze liet haar handen met een zucht in haar schoot zakken. 'Ik wenste dat ik je mijn dagboek voor kon lezen,' zei ze, terwijl ze afwezig naar de muur staarde. 'Een deel van mij wil geloven. Ik heb erover geschreven in mijn dagboek. Mijn familie gelooft, Don. Ik voel me alsof ik ook moet geloven. Het voelt alsof ik doodga als ik niet geloof. Maar het is allemaal zo stom. Zo vreselijk stom.'

'Laura, waarom ga je om met de christenen op de campus?'

'Ik weet niet. Ik denk dat ik gewoon nieuwsgierig ben.' Ze veegde weer door haar ogen. 'Jij bent niet stom, dat vind ik niet. Ik begrijp alleen niet hoe jij dat allemaal kunt geloven.'

'Dat kan ik ook niet echt,' vertelde ik haar. 'Maar ik geloof in God, Laura. Iets binnenin mij zorgt ervoor dat ik geloof. En ik geloof dat God achter jou aan zit, dat God wil dat jij ook gelooft.'

'Wat bedoel je?' vroeg ze, terwijl ze haar handen weer in haar schoot legde en diep zuchtte.

'Ik bedoel het idee dat je wilt biechten. Ik denk dat God een relatie met jou wil en dat begint met biechten bij Hem. Hij biedt vergeving.'

'Je maakt het er niet makkelijker op, Don. Ik geloof niet bepaald dat ik een God nodig hebt die me iets vergeeft.'

'Dat weet ik. Maar dat is wat er volgens mij gebeurt. Misschien kun je het als een daad van sociale rechtvaardigheid zien. De hele wereld valt uit elkaar omdat niemand toe wil geven dat hij fout is. Maar door aan God te vragen of Hij je wil vergeven, ben je bereid je eigen zooi onder ogen te zien.'

Laura bleef een tijd zwijgend zitten. Ze mompelde een beetje binnensmonds. 'Dat kan ik niet, Don. Dat is geen beslissing. Dat is niet iets wat je zomaar beslist.'

'Wat bedoel je?'

'Ik kan niet zover komen. Ik kan het niet zomaar zeggen zonder het te menen.' Het frustreerde haar. 'Ik kan het niet. Het zou net zoiets zijn als proberen verliefd te worden op iemand of jezelf ervan proberen te overtuigen dat je lievelingseten pannenkoeken is. Zulk soort dingen beslis je niet, ze overkomen je. Als God echt is, moet Hij me overkomen.'

'Dat is waar. Maar geen paniek. Het is oké. God heeft je al zover gebracht, Laura; Hij zal je ook de rest van de weg leiden. Misschien duurt het even.'

'Maar dit doet pijn,' zei ze. 'Ik wil geloven, maar ik kan het niet. Ik haat dit!'

Laura ging terug naar haar kamer. De volgende dag kreeg ik een e-mail van Penny die schreef dat zij ook met Laura had gepraat. Penny vroeg me voor Laura te bidden omdat ze zich opgesloten voelde. Penny zei dat ze veel tijd met haar door zou brengen en samen met haar door haar emoties zou gaan.

o   o   o

Ik had geen verklaring voor Laura. Ik denk niet dat er een verklaring is. Mijn geloof in Jezus leek niet rationeel of wetenschappelijk en toch was er niets wat ik kon doen om me van dat geloof te scheiden. Ik denk dat Laura naar iets rationeels op zoek was, omdat ze geloofde dat alle dingen die waar waren, rationeel waren. Maar dat is niet het geval. Liefde, bijvoorbeeld, is een echte emotie, maar het is niet rationeel. Ik bedoel, mensen voelen het. Ik ben verliefd geweest, vele mensen zijn verliefd geweest, maar desondanks kan liefde niet wetenschappelijk worden aangetoond. Schoonheid ook niet. Licht kan niet wetenschappelijk worden aangetoond en toch geloven we allemaal in licht en zien we alle dingen door het licht. Er zijn heel veel dingen die waar zijn, maar die niet verklaarbaar zijn. Ik denk dat een van Laura's problemen was dat ze wilde dat God verklaarbaar was. Maar dat is Hij niet. Hij is voor mij niet meer verklaarbaar dan ik ben voor een mier.

o   o   o

Tony en ik praatten die dag daarop over Laura in de Horse Brass; we hadden het over geloof, wat er voor nodig is om te geloven en hij vroeg me hoe het met mijn geloof in God zat.

Ik voelde me nogal onnozel toen ik het probeerde uit te leggen, ook al is Tony zelf ook christen. Het voelde alsof ik vertelde dat ik in Peter Pan of de Tandenfee geloofde. Ik geloof in God en, zoals ik al eerder zei, het voelt meer alsof iets me drijft om te geloven dan dat ik het zelf aanwakker. Ik zou in feite zelfs kunnen zeggen dat ik niet eens wilde geloven toen ik begon te geloven; mijn intellect wilde niet geloven, maar mijn ziel, dat diepere instinct, kon het geloof in God niet meer tegenhouden, net zoals Tony niet van het een op het andere moment kon ophouden met van zijn vrouw te houden. Er zijn dingen die jij uitkiest om in te geloven en er zijn geloofsovertuigingen die jou kiezen. Dit was er een die mij koos.

'Weet je wat me echt heeft geholpen om te begrijpen waarom ik in Jezus geloof, Tony?'

'Nou?'

'Pinguïns,' zei ik.

'Pinguïns?'

'Pinguïns,' lichtte ik toe. 'Weet je veel van pinguïns?'

'Nee.' Tony glimlachte. 'Vertel.'

'Eergisteren keek ik op tv naar een natuurfilm over pinguïns. Ze reizen in enorme groepen, misschien wel met vijfhonderd stuks tegelijk. En ze zwemmen naar het noorden in het koudst van de winter, zo ver naar het noorden dat ze bij het ijs komen. Ze zien eruit als tekenfilmfiguren, zoiets als in Disneys *Fantasia*. Alle vijfhonderd zwemmen tot ze het ijs raken. Dan springen ze een voor een uit het water en gaan buikschuiven. Ze maken een soort sporen tijdens dat schuiven en volgen elkaar in een rij. Dat gaat zo dagenlang door.'

'Glijden ze dagenlang op hun buik?' vroeg Tony.

'Dagen,' bevestigde ik.

'Waarom?'

'Ik weet het niet,' gaf ik toe. 'Maar na een poosje houden ze ermee op. Dan lopen ze rond in een grote cirkel en beginnen geluid te maken. En wat ze dan doen is een maatje zoeken. Het is te gek.

Het is een nachtclub voor pinguïns of zoiets – zoiets als een disco.
Ze waggelen rond op de dansvloer tot ze een maatje vinden.'

'En dan?' vroeg Tony, half lachend.

'Pinguïnseks,' zei ik.

'Pinguïnseks?'

'Ja. Pinguïnseks. Zomaar op tv. Ik voelde me alsof ik naar dierenporno keek.'

'Hoe zag het eruit?' vroeg hij.

'Niet bepaald opwindend,' zei ik. 'Een beetje een afknapper.'

'Maar wat hebben die pinguïns met het geloof in God te maken?' vroeg Tony.

'Daar kom ik zo op. Maar ik vertel je eerst wat ze nog meer doen. Eerst leggen de vrouwtjes eieren. Ze doen dat staand. De eieren vallen tussen hun benen, die ongeveer tweeënhalve centimeter lang zijn, naar beneden en de vrouwtjes laten de eieren op hun voeten liggen. Dan gaan de mannetjes naar de vrouwtjes toe en de vrouwtjes geven de eieren aan de mannetjes. Daarna, en dat is het coole deel, gaan de vrouwtjes weg. Ze reizen dagen terug naar de oceaan, springen erin en gaan vissen.'

'Gaan de vrouwtjes er gewoon vandoor en laten ze de mannetjes met de eieren zitten?' vroeg Tony.

'Ja. De mannetjes zorgen voor de eieren. Ze gaan erop zitten. Ze hebben een zakje tussen hun benen waar het ei in past. Ze verzamelen zich in een enorme kring om elkaar warm te houden. De pinguïns die aan de binnenkant van de kring zitten, bewegen zich heel langzaam naar de buitenkant en dan weer terug naar binnen. Dat doen ze om bij toerbeurt aan de buitenkant van de kring te zitten omdat het daar echt heel koud is. Ze doen dat een hele maand.'

'Een maand!'

'Ja. De mannetjes zitten daar een maandlang op de eieren. Ze eten zelfs niet. Ze waken alleen over hun eieren. Dan komen de vrouwtjes terug en als ze terugzijn, haast op de dag af, barsten de eieren open. Op de een of andere manier weten de vrouwtjes de precieze dag waarop ze weer naar de mannetjes moeten gaan, ook al hebben ze nog nooit eerder een baby gekregen. Zo worden baby-pinguïns dus gemaakt.'

'Heel interessant.' Tony gaf me een applausje. 'Maar wat is de analogie in dit verhaal?'

'Ik weet het niet precies. Ik identificeer me gewoon met hen. Ik weet dat het dwaas klinkt, maar toen ik aan het kijken was voelde het alsof ik een van die pinguïns was. Ze hebben een soort radar in zich die hen vertelt wanneer en waar ze ergens heen moeten gaan. Het is totaal niet logisch, maar op de dag dat hun baby's worden geboren komen ze opdagen en is gebleken dat de radar gelijk had. Ik heb een radar binnen in me die me zegt dat ik in Jezus moet gelo-ven. Op de een of andere manier leidt de radar van een pinguïn hem erg goed. Misschien is het niet eens zo dwaas dat ik de radar die ik in me heb volg.'

Tony glimlachte om mijn antwoord. Hij hief zijn glas bier op. 'Op de pinguïns,' zei hij.

o   o   o

In zijn boek *Orthodoxy* zegt G. K. Chesterton dat schaakspelers gek worden en dichters niet. Ik denk dat hij gelijk heeft. Je zou gek worden als je pinguïns probeerde te verklaren. Het is het beste om gewoon naar hen te kijken en je te laten vermaken. Ik denk dat je ook niet uit kunt leggen hoe het christelijk geloof werkt. Het is een mysterie. En dat vind ik nu juist het mooie aan het geloof. Het kan niet worden verklaard, maar toch is het mooi en waar. Het is iets wat je voelt en het komt uit de ziel.

o   o   o

Een paar dagen later krabbelde ik uit bed en sloeg de bijbel op mijn bureau open. Ik had eerlijk gezegd niet zo'n zin in lezen, dus zette ik mijn computer aan en stoeide met een Sim Citystad waar ik al eens mee bezig was geweest. Ik checkte mijn e-mail en zag dat ik een mail van Laura had. Ze had hem die ochtend vroeg gestuurd. Het onderwerp was: *Dus, hoe dan ook, over al dat soort dingen...*

Liefste vriend Don,

Vannacht heb ik het boek Matteüs gelezen. Ik ben de hele nacht opgebleven. Ik kon niet ophouden met lezen, dus heb ik Marcus er achteraan gelezen. Die Jezus van jou is óf een dwaas óf de Zoon van God. Ergens in het midden van Marcus besefte ik dat hij de Zoon van God was. Ik veronderstel dat ik nu een christen ben? Ik voel me veel beter. Kom vanavond naar de campus, dan kunnen we samen koffie gaan drinken.

Veel liefs,
Laura

6
Verlossing

Lang voor ik in Portland terechtkwam, maar kort na mijn eigen bekering tot het christelijk geloof, ervoer ik periodes van verwantschap met God. Ik lag op de grond in mijn slaapkamer, las mijn bijbel, bestudeerde de woorden urenlang. Het waren sterke woorden die zich als sterke armen om mijn borst sloegen. Het leek alsof de woorden leefden en een eigen verstand en gebaren hadden, alsof God gedachten in mijn hoofd bracht om mij te leiden, te troosten en kracht te geven.

Het voelde een tijdje alsof de wereld een horloge was waarvan God het klepje open had gemaakt zodat ik het mechanisme zag. De ingewikkelde regels van het sociaal-geestelijke landschap waren als een soort toneelstuk voor mij en ik verheugde me in iedere verandering in het plot.

De waarheden van de Bijbel waren magisch, als boodschappen uit de hemel, als codes, bekorende codes die kracht over het leven boden. Een soort kracht die verdriet in vreugde veranderde, problemen in uitdagingen en beproevingen in mogelijkheden. Niets in mijn leven was alledaags. Nadat ik christen was geworden, had ieder aspect van menselijke interactie een fascinerend appèl en de ingewikkelde complexiteit van het natuurlijke landschap was opmerkelijk volmaakt: de kleuren in de lucht smolten samen met de horizon, die Zuid-Texaanse zonsondergangen die de wolken in de verte deden opvlammen als vuurwerk, als engelenvleugels die begonnen te vliegen.

God was niet langer een fruitautomaat maar iets van een Geest die de kracht had om zielen van mensen te bewegen. Ik leek antwoord te krijgen op vragen die ik nog moest stellen, vragen die God had aangevoeld of misschien wel in de diepte van mijn ziel had ingeprent. De ervaring van het christen worden was verrukkelijk.

o   o   o

Ik denk echter niet dat er veel mensen zijn die hele lange periodes blij kunnen blijven. Vreugde is een tijdelijk iets. Haar kleine capaciteit zorgt voor haar plezier. En zo begon iets van de magie die ik voelde langzaam te vervagen. Het is net als met een man die met Kerst een nieuwe zaag krijgt. De eerste ochtend voelt hij hoe zwaar de zaag is en vraagt hij zich af hoeveel kracht het ding kan zetten. Hij beschouwt het nauwelijks als een gereedschap waar hij nog jarenlang mee zal moeten werken.

Vroeger heb ik de fout gemaakt dat ik wilde dat geestelijke gevoelens bleven en dat ze romantisch bleven. Zoals een nieuw stelletje verwacht de liefde altijd te zullen *voelen*, ging ik met mijn geloof om, denkend dat God en ik een wandeling maakten om de bloemen te gaan ruiken. Toen dit niet gebeurde, raakte ik in de war.

Wat nog me nog meer frustreerde dan het verlies van de blijdschap was de terugkeer van mijn worstelingen met de zonde. Ik was christen geworden, maar waarom worstelde ik dan nog steeds met lust, hebzucht en jaloezie? Waarom wilde ik dronken worden op feesten en frauderen met toetsen?

o   o   o

Mijn beste vrienden op de middelbare school waren Dean Burkebile en Jason Holmes. Dean en Jason zaten allebei in het tennisteam en ik was goed genoeg om als oefenmaatje te dienen, dus brachten we het merendeel van onze hete Houstonavonden door op de tennisbaan in het stadspark. We gingen daar vroeg in de middag naartoe en speelden dan tot tien of elf uur, wanneer de stad haar lichten uitdeed. Daarna gingen we ergens op de parkeerplaats zitten en dronken bier en Jason rookte hasj.

Deans vader was een herstellende alcoholist die nu iets van zeven jaar nuchter was geweest. Hij was een knappe man, kort, maar hij praatte zo pochend als John Wayne in *True Grit*. Meneer Burkebile had verbazingwekkende verhalen uit de dagen dat hij nog dronk. Hij vertelde ons dat hij op een avond dronken achter het stuur zat, een black-out kreeg en zijn auto frontaal tegen een geparkeerde politieauto reed. Ik keek altijd tegen Deans vader op door zijn drinkverhalen, zijn tatoeages en dat soort dingen. Toen werkte hij in een ziekenhuis en reed in een zwarte Volvo. Mijn familie had een Buick. Mijn moeder reed nooit als ze dronken was. Mijn vader misschien wel, maar die had ik al jaren niet meer gezien.

Als Dean en Jason en ik op de parkeerplaats rondhingen, voelde ik me vuil en stoer, als een man uit een film. Ze kwamen allebei uit een rijke familie en hun leven draaide niet om de kerk. Ik voelde me cool als ik bij hen was, heel ontwikkeld, alsof we volgende week op Wimbledon zouden gaan spelen, wijn zouden nippen en na de wedstrijd handtekeningen uit zouden delen.

Dean en ik zaten in die tijd in het bestuur van de jeugdgroep in de kerk. Dean heeft het nooit serieus genomen. Hij nam het bestuurslid zijn wel serieus, maar de dingen die met geloof en de bovennatuurlijke dingen die in je leven plaatsvinden te maken hebben niet. Ik probeerde hem mee te krijgen naar een kerkkamp, maar dat wilde hij nooit. Het kamp was altijd aan het eind van de zomer en het zat te dicht op het schooljaar. Als hij meeging op kamp, zou hij zich schuldig voelen en zou het wel twee maanden duren voor hij weer zou drinken, dus daarom ging hij niet. Op een keer, vlak nadat ik van kamp terug was gekomen, kocht Dean twee kratten bier en nodigde me uit bij hem thuis. Hij zei dat ik dronken moest worden om van dat eerste schuldgevoel af te komen zodat ik zou kunnen genieten van alle aanstaande herfstfeesten. Ik dronk ongeveer een heel krat leeg. Dean en ik liepen naar het stadspark en probeerden te basketballen in het maanlicht, wankelend en vloekend omdat het niet lukte de om de basket te raken.

Meestal gaf ik niet zo om drank. Dean was zo ongeveer de beste vriend die een jongen kon hebben. Ik denk dat hij echt om mensen gaf en Jason ook. Ze wilden net als iedereen gewoon genieten. Maar bij mij lag dat anders. Ik wilde God echt een plezier doen. Ik bedoel, ik wilde God min of meer een plezier doen. Het voelde alsof God iets persoonlijks en echts in mijn leven had gedaan. Ik had ook het gevoel dat ik misschien een tijdje geen alcohol moest drinken, omdat ik in het bestuur van de jeugdgroep zat en zo.

Op een avond toen we weer bij de tennisbanen rondhingen, haalde Jason een behoorlijk zakje met wiet voor de dag. Dean rookte dat spul zowat nooit. Hij had een hekel aan de smaak en zei dat hij er niet high van werd. Ik had het nog nooit geprobeerd, maar die avond stond Jason er behoorlijk op dat we het allemaal probeerden. Ik was niet zo wild van zijn idee. Ik had al vijf biertjes op en voelde me aardig dronken. Ik had gehoord dat die dingen niet samengaan. Dean begon Jasons pijp te stoppen en Jason werd erg enthousiast, dus ik zei dat ik ook een trekje zou nemen.

Om eerlijk te zijn, het deed me niets. Niets goeds. Zoals ik al zei, was ik behoorlijk dronken en de wiet bracht me net over het randje. Vijf minuten later was ik kotsmisselijk. Ik voelde me alsof ik in een koffer zat op de bodem van een schip in het midden van een storm. Mijn maag begon te draaien. Mijn handen en voorhoofd begonnen te zweten en mijn knieën voelden week en slap. Ik leek wel gevogelte.

o   o   o

We liepen naar Deans huis terug en ik ging in zijn naar hond ruikende achtertuin liggen. Ik gleed weg in zeezieke dromen van krokodillen en presentatoren van talkshows. Jason kwam naar buiten, ging naast me liggen en ging maar door over wat waarheid was en of ik dacht dat er meer was. Jason was tot de overtuiging gekomen dat de waarheid een beetje aan je werd onthuld als je high was. Later liep hij naar school. Vrienden van me vertelden me dat hij kilometers ver van school wakker werd, in zijn ondergoed, niet wetend hoe hij daar gekomen was. Die avond vertelde hij me over de waarheid, over hoe het is dat je iets weet en dat je niet weet dat je het weet. Hij zei dat de sleutel tot de betekenis van het leven waarschijnlijk te vinden was op andere planeten.

'Don. Don.' Hij probeerde mijn aandacht te trekken.

'Wat, jongen?' Ik lag daar, zeeziek.

'Ze zouden daar kunnen leven, man.'

'Wie, Jason?'

'Buitenaardse wezens, man.'

Zodra een van de jongens nuchter genoeg was om te kunnen rijden, brachten ze me thuis. Ik kroop door het raam van mijn slaapkamer, ging uitgestrekt op de vloer liggen en wachtte tot het schip aan de grond zou lopen.

Op dat moment dacht ik na over het schuldgevoel dat ik zoveel jaar daarvoor had, het schuldgevoel over het kerstcadeau van mijn moeder. Ik bedacht dat het allemaal Gods schuld was. Ik dacht dat als God het zo had gemaakt dat ik me iedere keer schuldig zou voelen, ik nooit weer zou zondigen. Ik zou nooit dronken worden of blowen.

Ik voelde me niet bepaald een vent die avond, terwijl ik over mijn buik wreef en probeerde het braaksel binnen te houden. Ik voelde me niet bepaald zoals een man zich na een tenniswedstrijd op Wimbledon zou voelen. Ik denk dat meneer Burkebile ook niet zo blij was toen hij dronken was en politieauto's ramde. Als hij zo blij was, zou hij waarschijnlijk niet meer nuchter zijn geworden en zou hij waarschijnlijk niet allerlei bijeenkomsten hebben bijgewoond. Ik denk dat de dingen die we het liefst willen, de dingen waarvan we denken dat ze ons vrij maken, niet de dingen zijn die we nodig hebben. Ik heb eens een kinderverhaal met dit idee geschreven, maar het is niet echt geschikt voor kinderen...

Er was eens een konijn
genaamd Don Konijn.

Don konijn ging iedere morgen naar
Stumptown Coffee.

Op een morgen zag Don Konijn een
Sexy Wortel bij Stumptown.

En Don Konijn besloot om
Sexy Wortel te achtervolgen.

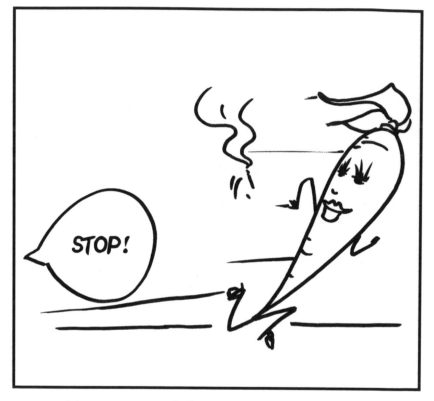

Maar Sexy Wortel was erg snel.

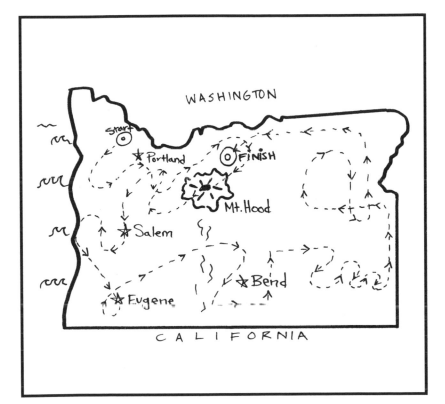

En Don Konijn achtervolgde Sexy
Wortel helemaal tot aan Oregon.

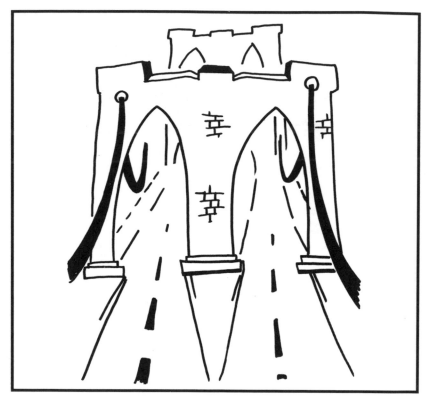

En helemaal door Amerika,
tot aan New York City.

En Don Konijn achtervolgde Sexy
Wortel helemaal tot op de Maan.

En Don Konijn was heel,
heel erg moe.

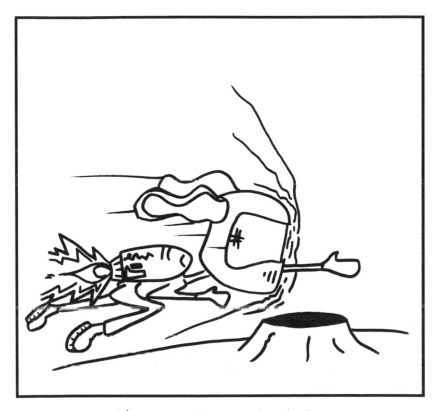

Maar met zijn laatste
krachtinspanning deed
Don Konijn een uitval
naar Sexy Wortel.

En Don Konijn ving
Sexy Wortel.

En de moraal van het verhaal is dat
als je hard werkt, op je doel blijft
gericht en nooit opgeeft,
je uiteindelijk krijgt wat je wilt.

Helaas, kort nadat dit verhaal was
verteld, stikte Don Konijn in de wortel
en stierf.
Dus de tweede moraal van het verhaal is:

Soms zijn de dingen die we het liefst
willen de dingen die ons doden.

En dat is echt het verraderlijke aan het leven, dat de dingen die we het liefst willen ons doden. Tony de Rapper las me pas een oud geschrift voor over het houden van de duisternis of van het licht. Er stond in dat het zo moeilijk is om van het licht te houden en zo gemakkelijk om van de duisternis te houden. Ik denk dat dat waar is. Uiteindelijk doen we dingen die we leuk vinden. Ik denk graag dat ik dingen met de juiste motieven doe, maar dat is niet zo, ik doe dingen omdat ik er wel of niet van houd. Vanwege de zonde, omdat ik verslaafd ben aan mezelf en in de puinhoop van de zondeval leef, zijn mijn lichaam, mijn hart en mijn genegenheden geneigd tot het houden van dingen die me doden. Tony zegt dat Jezus ons in staat stelt te houden van de dingen waarvan we moeten houden, de dingen van de hemel. Tony zegt dat als mensen die Jezus volgen van de juiste dingen houden, ze meewerken aan het vestigen van Gods koninkrijk op aarde en dat is iets moois.

Ik heb zelf geprobeerd om zonder Gods hulp van de goede dingen te houden en het was onmogelijk. Ik probeerde een week lang niet negatief over een ander menselijk wezen te denken en ik kon het niet. Voor ik dat experiment uitvoerde, dacht ik dat ik een aardig mens was, maar nadat ik het geprobeerd had, besefte ik dat ik de hele dag door slechte dingen dacht over andere mensen en dat het, zoals Tony zei, mijn natuurlijke verlangen was om van de duisternis te houden.

Mijn antwoord op dit dilemma was zelfdiscipline. Ik dacht dat ik mezelf wel kon stimuleren om goede dingen te doen en goede dingen over andere mensen te denken, maar dat was niets makkelijker dan naar een totaal onbekend iemand toe te lopen en verliefd te worden. Ik kon er wel even in meegaan, maar vroeg of laat zou mijn hart haar ware liefde laten zien: duisternis. Dan zou ik opstaan en het opnieuw proberen. Het was een vicieuze cirkel.

7
Genade
Het koninkrijk van de bedelaar

Er was een tijd dat ik een fundamentalistisch christen was. Dat duurde een zomer lang. Het was in dezelfde fase van proberen de discipline op te brengen me te 'gedragen' alsof ik van het licht hield en me niet te 'gedragen' alsof ik van de duisternis hield. Ik irriteerde me altijd mateloos aan predikers die teveel over genade spraken, omdat ze me in de verleiding brachten om niet zo gedisciplineerd te zijn. Ik vond dat de mensen gewoon een schop onder hun kont nodig hadden en als ik niet vroom genoeg was, kwam dat omdat de mensen om mij heen niet hard genoeg hun best deden. Ik geloofde dat de kerk in een bordeel zou veranderen als er zoveel over genade werd gepraat. Ik denk dat ik echt een rotvent was.

Ik bereikte het hoogtepunt van mijn vroomheid toen ik in een fundamentalistisch christelijk kamp in Colorado werkte. Ik woonde samen met zeven andere mannen in een hutje in de Rockies en we vervielen stuk voor stuk in een strijdlustig christendom dat zegt dat je als een militair voor Jezus moet leven. Terwijl ik dit beken staat het schaamrood me op de kaken.

We vastten voortdurend, baden tweemaal daags samen, leerden bijbelverzen uit ons hoofd, gaven elkaar schouderklopjes en dat soort dingen. De zomer naderde zijn eind en we waren behoorlijk trots op onszelf omdat we een groot deel van de Bijbel hadden gelezen en niemand zwanger hadden gemaakt. Maar we maakten ons wel wat zorgen over wat we moesten doen als we uit elkaar gingen, denkend dat we een terugval zouden krijgen als we elkaar niet meer hadden en dat we drugs aan kinderen zouden gaan verkopen. Een van ons, dat was ik waarschijnlijk, besloot een contract op te stellen met daarin de dingen die we een heel jaar lang niet zouden doen, zoals tv kijken of tabak roken of muziek luisteren. Het was de grondwet van ons vrome individualisme. In het contract stond dat we iedere dag uit de Bijbel zouden lezen, zouden bidden en dat we bepaalde lange stukken uit de Bijbel uit ons hoofd zouden leren. Op een avond zaten we met pen en papier bij elkaar en brachten onze offers. De een probeerde de ander te overtreffen door een nog groter en geweldiger lam voor de slacht te brengen. We waren het tegenovergestelde van een studentenkorps; in plaats dat we ons testosteron richtten op overdadig drinken en luidruchtige feesten, stortten wij ons op Jezus, botsten als het ware met onze borstkas tegen de zijne, als bijbelverkopers die anabolen slikten.

Ik liftte terug naar Oregon en kreeg een appartement in een van de voorsteden, waar ik niemand kende en waar niemand mij kende. Ik droeg een ketting om mijn hals, een koordje met kralen. Iedere kraal stelde een van de mannen uit het contract voor en in het midden zat een kruis, een herinnering aan het feit dat we allemaal meededen en dat we een jaar lang als monniken zouden leven. Eerst was het gemakkelijk. Ik had een nieuwe woonplek en zo, een nieuwe stad, maar na een tijdje begon de ketting me te verstikken.

De eerste van de serie worstelingen die volgde was met de Bijbel. Het was niet dat ik er niet in wilde lezen of dat ik er niet mee eens was, ik vergat het simpelweg. Mijn bijbel lag op de grond naast mijn bed onder een stapel vuile kleren. Uit het oog, uit het hart. Ik had er een maand niet aan gedacht tot op het moment dat ik mijn kamer op ging ruimen. Ik haalde de stapel wasgoed weg en trof daar mijn bijbel aan, die me aankeek alsof het een dood dier was.

Op een avond liep ik over Pioneer Square in het centrum van

Portland. Aan de overkant van de straat zag ik een tabakswinkel. Ik besloot naar binnen te gaan om eens rond te snuffelen. Ik kwam naar buiten met een nieuwe pijp. Ik zwoer dat ik hem niet eerder zou roken dan het jaar voorbij was. Het was een goede koop, iets van vijftien dollar. Ik kon de tabak die zo goedkoop was ook niet laten liggen, ook al zou die niet meer te roken zijn tegen de tijd dat het contract afliep. Ik ging op Pioneer Square zitten tussen de skate-boarders en muzikanten, schaakspelers en koffiedrinkers. Ik besloot mijn pijp te pakken, gewoon voor het gevoel. Ik stak hem in mond om de sensatie weer even te beleven, het gevoel van de steel tussen mijn tanden. Toen stak ik hem aan. En toen rookte ik hem.

Nadat de Bijbel en de pijp af waren gevallen, besloot ik om iets te smokkelen met het aspect van het contract dat televisie heette. In de straat van mijn appartement was een pizzazaak, *Escape from New York Pizza* of iets dergelijks, en daar hadden ze een breedbeeld tv. Ik ging er op maandagavond heen om rugby te kijken, wat een dubbele zonde was omdat we op maandag geacht werden te vasten. Ik bedacht dat de jongens het vast niet erg zouden vinden als ik de vastendag naar woensdag verplaatste en een beetje ging schuiven. Ik verschoof zoveel vastendagen dat ik na drie maanden tijd wel twaalf dagen zonder eten had moeten doen. Ik denk dat ik dat jaar twee keer heb gevast. Misschien.

Ik haatte dat hele jaar. Ik haatte het echt. Iedere ochtend voelde ik me een mislukkeling. Ik haatte het om in de spiegel te kijken om-dat ik een loser was. Ik irriteerde me mateloos aan alle mensen die plezier maakten in het leven.

Ik liep van de pizzazaak naar huis terug en voelde me een cri-mineel vanwege mijn vergrijp. Het voelde alsof christen zijn aan mij niet was besteed en ik vroeg me af wat mijn straf zou zijn voor het ongehoorzaam zijn aan God. Alles mislukte. Ik kreeg brieven van de andere mannen. Sommigen deden het aardig goed. Ik be-antwoordde ze niet. Ik deed God niet alleen tekort, ik deed mijn fundamentalistische broeders tekort!

Mijn predikant, een van mijn beste vrienden, ervoer ongeveer dezelfde emoties toen hij nog maar kort geloofde. Rick werd christen toen hij negentien was. Voor hij christen was, speelde hij rugby bij Chico State, wat destijds de grootste feestclub van het land was. En Rick maakte deel uit van het feestvieren. Na maanden met braspartijen begon hij zich echter af te vragen of er iets in het leven was dat meer voldoening gaf dan alcohol en seks. Hij begon naar God te verlangen. De volgende zondagochtend nam hij zich voor om nuchter te blijven en hij ging naar een kerk in de buurt om daar de dienst bij te wonen. Dit was de eerste keer dat Rick een voet in de kerk zette en juist die morgen sprak de predikant over zonde, over dat we allemaal zondaren zijn en hij sprak over Jezus, hoe Jezus stierf zodat God ons onze zonde kon vergeven. Aan het eind van de dienst bad Rick en hij werd christen.

Na een paar weken kwamen de predikanten van Ricks nieuwe kerk bij hem op bezoek. Elk van hen was strak in het pak en Rick vermaakte hen en zette koffie voor hen. Ze zaten allemaal aan hun koffie te nippen terwijl de geur van marihuana boven hun hoofden hing. Ricks vriend was in de kamer ernaast cannabis aan het roken. Rick moet erom lachen als hij me vertelt dat hij de predikanten ook wat aanbood, totaal niet beledigd toen ze zijn aanbod afwezen.

De predikanten praatten met Rick over zijn bekering. Ze legden hem uit dat zijn zonden vergeven waren en dat het belangrijk was om een rechtvaardig leven te leiden. En Rick was het daarmee eens. Hij wist dat het zonder kater makkelijker zou zijn om naar de preek van zondagochtend te luisteren. Rick begon de voorkeur te geven aan zuiverheid boven zonde en een tijdlang ging het goed. Maar toen merkte hij dat hij wilde feesten met zijn vrienden of dat hij seks wilde hebben met zijn vriendin en keer op keer mislukten zijn morele pogingen. Rick zegt dat dat de meest deprimerende momenten van zijn leven waren, omdat het voelde alsof hij de God die hem gered had tekort deed.

Genade

Mijn predikant werd gekweld omdat hij niet in staat was zijn lusten in bedwang te houden. Hij had dit nieuwe leven, de sleutel tot de hemel, gekregen en toch was hij niet in staat om Jezus te gehoorzamen. Op een avond ging hij op zijn knieën en zei tegen God dat het hem speet. Hij zei God hoe graag hij goed en gehoorzaam wilde zijn. Toen ging hij op de rand van zijn bed zitten en slikte een hoeveelheid spierverslappers en slaappillen die wel drie mensen tegelijk konden doden. Hij ging in een foetushouding liggen en wachtte tot hij zou sterven.

o   o   o

Rick zegt dat hij als hij terugkijkt moet zeggen dat hij te trots was om de vrije genade van God in ontvangst te nemen. Hij wist niet hoe hij moest leven binnen een systeem waarin niemand iets verschuldigd is aan een ander. En hoe moeilijker het voor Rick was om God terug te betalen, hoe meer hij zich wilde verstoppen. God was als het ware zijn schuldeiser. Hoewel hij wel wist dat God er niets voor terug wilde, kon zijn verstand zijn hart daar niet van overtuigen en daarom was zijn leven een kwelling.

Ik heb heel lang niet kunnen begrijpen waarom sommige mensen er geen enkele moeite mee hebben om de genade van God te accepteren, terwijl anderen dat ongelooflijk moeilijk vinden. Ik rekende mezelf onder degenen die het moeilijk vinden. Ik hoorde over genade, las over genade en zong zelfs over genade, maar het accepteren van genade is een daad die ik niet kon begrijpen. Het kwam op mij over dat het niet goed was dat ik niet voor mijn zonde hoefde te betalen, dat ik me er niet schuldig over voelde en er niet over praatte. Bovendien, genade leek niet datgene te zijn waarnaar ik op zoek was. Het was te gemakkelijk. Ik wilde het gevoel hebben dat ik mijn vergeving verdiend had, alsof God en ik maatjes waren die elkaar gunsten bewezen.

Ik kreeg opheldering op een onverwachtse plaats: een supermarkt. Ik was onderweg naar Mount Hood waar ik een tijdje met een paar vrienden in de woestijn zou doorbrengen. Ik reed alleen en besloot in Safeway een tussenstop te maken om daar wat boodschappen te doen voor het weekend. Terwijl ik in de rij voor de kassa stond, haalde de vrouw voor me voedselbonnen van de bijstand voor de dag om haar boodschappen te betalen. Ik had nog nooit eerder voedselbonnen gezien. Ze waren kleurrijker dan ik me had voorgesteld en leken meer op geld dan op bonnen. Toen ze de bonnen openvouwde was het duidelijk dat zij, ik en het kassameisje ons behoorlijk ongemakkelijk voelden. Ik wilde dat ik iets kon doen. Ik wilde dat ik zelf voor haar boodschappen kon betalen, maar dan zou ze zich alleen maar ongemakkelijker voelen. Het kassameisje handelde haar taak snel af, zette een handtekening op een paar documenten en liet de vrouw gaan. De vrouw tilde haar hoofd niet op terwijl ze haar boodschappentassen oppakte en ze in haar karretje zette. Ze liep bij de kassa weg met de houterigheid van een persoon die weet dat hij nagekeken wordt.

Die middag toen ik door de bergen reed, realiseerde ik me dat het niet de vrouw was die beklagenswaardig was, maar dat ik dat zelf was. Op de een of andere manier was ik gaan geloven dat behoeftige mensen in aanmerking komen voor sympathie, niet alleen liefdadigheid. Het was niet zo dat ik haar boodschappen wilde betalen, dat deed de overheid al. Ik wilde haar waardigheid geven. Maar doordat ik haar beoordeelde, was ik juist degene die haar waardigheid afnam.

Ik vroeg me af wat het zou betekenen om een maand lang voedselbonnen te moeten gebruiken. Ik vroeg me af hoe het zou voelen om in de rij bij de kassa te staan, het kleurrijke armoedegeld uit mijn portemonnee te halen en de priemende ogen van de klanten te voelen die mijn kleren en de spullen in mijn kar onderzochten: diepvriespizza, melk van een A-merk, koffie. Ik zou ze willen uitleggen dat ik een goede baan heb en dat ik goed verdien.

Ik houd ervan om liefdadigheid te geven, maar ik wil zelf mijn hand niet ophouden. Daarom heb ik zoveel moeite met genade.

Een paar jaar geleden somde ik gebedspunten op tegen een vriend van mij. Er kwamen veel van mijn vrienden en familieleden in voor, maar ik noemde niet een van mijn persoonlijke problemen. Mijn vriend vroeg me rechtuit om mijn eigen moeiten te noemen, maar ik zei tegen hem dat ik dat niet wilde en dat mijn problemen niet zo groot waren. Mijn vriend antwoordde gevat met de stem van een zelfverzekerde leraar: 'Don, ook jij valt onder Gods barmhartigheid.' Op dat moment liet hij zien dat mijn motieven niet goed waren, ze waren trots. Het was niet zo dat ik meer om mijn vrienden gaf dan om mezelf, het was dat ik geloofde dat ik boven de genade van God stond.

Ik ben net als Rick te trots om de genade van God te accepteren. Het is niet zo dat ik zelf iets wil verdienen om aan God te geven, het is dat ik zelf iets wil verdienen zodat ik geen barmhartigheid nodig heb.

Toen ik die middag door de bergen reed en besefte dat ik te trots was om Gods genade te ontvangen, werd ik vernederd. Wie ben ik om te denken dat ik boven Gods genade sta? En waarom zou me ik de rijkdommen van Gods rechtvaardigheid ontzeggen voor de drek van mijn eigen ego?

o   o   o

Rick vertelde me dat hij toen hij daar in zijn bed lag te wachten tot hij zou sterven, God hoorde zeggen: 'Jouw leven is niet van jezelf, maar je bent duur gekocht.' Op dat moment ervoer hij een bepaalde vrede. Rick vertelde me dat hij zowel verstandelijk als emotioneel begreep wat zijn taak was in zijn relatie met God: Gods onvoorwaardelijke liefde nederig ontvangen.

Mijn predikant leeft dus nog steeds, een wonder dat hij niet kan verklaren. Voor hij zichzelf had kunnen redden was hij weggezakt in slaap, maar de volgende morgen werd hij wakker met een overvloedige hoeveelheid energie, alsof hij geen enkele pil had geslikt.

Na het overleven van de zelfmoordpoging ging Rick naar een bijbelschool, trouwde hij met een meisje dat hij daar ontmoette en nu hebben ze vier kinderen. Iets meer dan een jaar geleden stichtte hij een kerk in het centrum van Portland, wat over het algemeen als de meest onkerkelijke regio van de Verenigde Staten wordt beschouwd. Tijdens de eerste samenkomst waren we met zo'n acht mensen en nu is de kerk uitgegroeid tot een kerk met meer dan vijfhonderd mensen. Op een willekeurige zondag komen er een heleboel ongelovigen in onze kerk en iedere week deelt Rick de geduldige liefde van God met hen. Hij praat over Jezus alsof hij Hem kent, alsof hij Hem diezelfde ochtend nog aan de telefoon heeft gehad. Rick houdt van God omdat hij Gods onvoorwaardelijke liefde accepteert.

Rick zegt dat ik van God zal houden omdat Hij eerst van mij hield. Ik zal God gehoorzamen omdat ik van God houd. Maar als ik Gods liefde niet kan accepteren, kan ik ook niet van Hem houden en kan ik Hem niet gehoorzamen. Zelfdiscipline zal er nooit voor zorgen dat we ons rechtvaardig of schoon voelen; het accepteren van Gods liefde doet dat wel. Het in staat zijn om Gods onvoorwaardelijke genade en vurige liefde te accepteren is de brandstof die we nodig hebben om Hem te gehoorzamen. De duivel wil niet dat we Gods vriendelijkheid en vrije liefde accepteren. Als we diep van binnen een stem horen die zegt dat we mislukkelingen zijn, losers, en dat we nooit ergens toe bij zullen dragen, is dit de stem van Satan die de bruid ervan probeert te overtuigen dat de bruidegom niet van haar houdt. Dit is niet de stem van God. God overlaadt ons met vriendelijkheid, Hij verandert ons karakter door de passie van zijn liefde.

o   o   o

We dromen van Christus' liefde voor zijn bruid als in *Romeo en Julia*; twee gelijken die ontvlamden in een weldadige liefde. Maar ik denk dat het meer zoiets is als Lucentio's zoektocht naar Bianca in *The Taming of the Shrew*. Ik bedoel een bruidegom die zijn strijd-lustige bruid voor zich probeert te winnen met vriendelijkheid, ge-duld en liefde.

Ons 'gedrag' zal niet lang veranderen door zelfdiscipline, maar als je verliefd wordt krijg je voor elkaar wat je nooit voor mogelijk had gehouden. De meest luie mannen zullen het Kanaal over zwem-men om hun vrouw te winnen. Wat Rick zei is denk ik de moeite van het herhalen waard: Als wij Gods liefde voor ons accepteren, zullen we van Hem gaan houden en alleen dan hebben we de brand-stof die nodig is om te gehoorzamen.

In ruil voor onze nederigheid en bereidwilligheid om de barm-hartigheid van God te accepteren wordt ons een koninkrijk ge-schonken. En het koninkrijk van een bedelaar is nog altijd meer dan de waanideeën van een trots man.

8

Goden

Ieder jaar heb ik wel een tijd dat ik erover peins hoe dwaas dat hele gebeuren rond God wel niet is. Elke christen weet dat hij met twijfel af kan rekenen. En dat gebeurt ook. Maar als er twijfel is, is dat zo echt en zo beangstigend, alsof je hele wereld uit elkaar valt. Ik kan me een bepaald moment nog goed herinneren. Ik lag in bed en dacht aan het absurde van mijn geloof. *God. Wie gelooft er in God? Het lijkt allemaal zo vreselijk dwaas.*

Ik had het gevoel dat in God geloven niet rationeler was dan het hebben van een denkbeeldige vriend. Er is een naam voor mensen die denkbeeldige vrienden hebben. En speciale afdelingen. Misschien was mijn geloof in God wel een vorm van krankzinnigheid. Misschien zat er bij mij wel een steekje los. Het begint met geloven in Christus en het volgende is dat ik bij de paashaas op de thee ga of ronddans met mijn broodrooster terwijl ik schreeuw: 'De soldaten komen eraan!'

Toen begon ik over andere religies na te denken. Ik was God niet ontrouw of zo, ik dacht er alleen maar over na. Ik las de Koran nog voor die populair was. Het kwam nooit in me op dat als het christendom niet rationeel zou zijn, andere religies dat ook niet zouden zijn. Er waren tijden dat ik wenste dat ik Boeddhist was, dat ik wenste dat ik kon geloven dat dat waarheid was, ook al wist ik niet eens precies wat een Boeddhist geloofde. Ik vroeg me af hoe het zou zijn om over de buik van een of andere vette kerel te wrijven om vervolgens te worden overladen met goede gedachten, gedisciplineerde daden en een nieuwe auto. Ik zou in onroerend goed gaan en met een blonde schone trouwen en als de blonde schone haar hoofd afwendde wanneer ik over gesocialiseerde educatie begon, kon ik over de Boeddha wrijven en zou ze het intellect van Susan Faludi krijgen. Of Katie Couric.

o   o   o

In de periode dat ik over deze dingen nadacht en mijn verbeelding me aanzette tot creatieve antwoorden op de vraag naar de betekenis van het universum, pakte ik de bus naar Powells omdat een van mijn favoriete auteurs daar voor zou lezen uit zijn nieuwe boek. Ik moet erbij vertellen dat Powells de grootste boekwinkel ter wereld is. Nieuwe en tweedehandse boeken. Goedkoop voer, noemt een van mijn vrienden het. Powells is een van de redenen dat ik zo van Portland houd. In het oude gebouw in het centrum zijn meer dan een half miljoen boeken ondergebracht. Allemaal ruiken ze naar stof en inkt, twee afschuwelijke geuren die zich op mystieke wijze mengen om iets moois voort te brengen. Powells is een tweede kerk voor mij, een soort paperbackhemel.

Als er een auteur komt spreken in Powells ga ik er vroeg naartoe om wat rond te snuffelen. Ik begin bij de literatuurafdeling en ga naar religie voor ik een blik werp op de afdeling politiek en sociale bewegingen. Ik eindig op de afdeling kunst, waar het programma met auteurs altijd is. De schrijver voor wie ik die avond kwam is een christen, een visser en buitenmens, die verhalen schrijft over vissen met een kunstvlieg en over de wateren van Oregon. Toen ik binnenkwam waren alle stoelen bezet, dus leunde ik tegen een pilaar toen hij binnenkwam. Hij was langer dan ik me had voorgesteld, dunner, met slungelige benen en armen. Hij droeg een kakikleurige broek en een geruit flanellen overhemd. Hij zag eruit als iemand die linkse tv-programma's kijkt of als een man die veel over vogels weet.

De auteur kwam uit het trappenhuis tevoorschijn en liep door het publiek naar voren, begeleid door een medewerker van Powells die hem rond het boekenplankje met gesigneerde exemplaren van zijn boeken leidde. Hij had kranten in zijn handen en een dossiermap met kreukelige papieren. Hij had een verweerd exemplaar van zijn nieuwste boek bij zich. Hij werd voorgesteld als een van Oregons schatten, een geweldig schrijver die water tot leven brengt, die ons in zijn woorden de schoonheid van het buitenleven geeft en ons eraan herinnert dat we mens zijn en een fantastische ervaring meemaken. Het publiek applaudisseerde en ik voegde er een juichkreetje aan toe. De auteur beklom het podium met een vriendelijke glimlach en begon de avond met het voorlezen van krantenartikelen over buitenlandse politiek en religie, op zijn gemak van het ene naar het andere artikel bladerend. Hij las alsof hij oude familierecepten deelde, alsof we allemaal aantekeningen maakten, wat we niet deden.

Ik denk dat hij een slechte avond had, of een slecht jaar of zoiets, want hij was een beetje traag en leek de artikelen voor te lezen alsof hij moest bewijzen dat andere mensen het met zijn politieke ideeën eens waren. We zaten er ongemakkelijk bij terwijl hij zijn mening verkondigde over het ene politieke idee na het andere, gevolgd door een columnist die zijn idee bewees. Ik wilde gewoon dat hij over vis zou lezen. Vissen is zo'n veilig onderwerp. Er is nou niet bepaald veel te noemen wat aanstootgevend is aan vissen. Eerlijk gezegd begon ik me er nogal over op te winden.

De auteur over wie ik het heb is een geweldig schrijver. Ik wil dat je dat weet. Ik houd enorm veel van het werk van die man. En als hij wil voorlezen uit een krant, wie ben ik dan om te zeggen dat hij dat niet mag? Als hij wilde had hij daar kunnen staan kleuren in een kleurboek. Maar ik wilde hem over vissen horen praten. Ik wilde mijn ogen sluiten en ze met hun zilveren zijkanten langs groene rotsen zien zwemmen. Ik wilde de rivier horen, hem om mijn benen voelen razen, de vlieg soepeltjes door de lucht gooien en hem op de spanning van het oppervlak van de rivier laten rusten. In plaats daarvan zat ik tot aan mijn oren in de buitenlandse politiek.

Ik wenste dat ik het soort persoon was die alles en iedereen leuk vindt. Soms voel ik me zo negatief. Ik heb vrienden die naar alle soorten muziek luisteren, die allerlei films kijken vinden, die elk boek lezen en die alles geweldig vinden. Ik benijd mensen die zo zijn echt. Ik zeg dit allemaal omdat ik het helemaal niet leuk vond toen de auteur eindelijk uit zijn nieuwe boek begon voor te lezen. Ik vocht tegen mijn kritische aard maar ik kon niet anders dan zijn nieuwe werk vergelijken met het geniale van zijn eerdere werken. Zijn woorden waren vaag en cliché, trendy en vol verkooppraatjes. Het waren zijn woorden niet, het waren woorden die geacht worden te verkopen, woorden die de oren prikkelen en een bepaald publiek bereiken.

Met betrekking tot spiritualiteit verbaasde hij me door van zijn christelijke overtuigingen af te wijken en Mohammed in het licht te zetten. Hij zei dat Mohammed een van zijn helden was. Ik heb niet zo veel problemen met Mohammed, maar ik heb problemen met blanke mannen van middelbare leeftijd die in Amerika zijn opgegroeid en die beweren dat Mohammed een held is. Niet omdat Mohammed nooit iets goeds heeft gedaan (dat heeft hij wel), maar omdat het gewoon ongelooflijk hip is om Mohammed een held te noemen. Ik weet dat ik nu een oordeel vel over de motieven van die man, maar kun je ooit hipper worden dan halfchristelijke, halfislamitische ideeën aan te hangen? Die vent hulde zich laag voor laag in religieuze beweringen zoals de modellen die je in een modetijdschrift tegenkomt.

Wat absoluut het meest irritant aan de religieuze ideeën van de man was, was dat ze precies waren waar ik met de mijne naartoe ging. Het was alsof ik mijn toekomst voor ogen zag. Ik was op weg om een Superhippe Spirituele Schrijver te worden. Het was gewoon eng.

Spirituele Schrijver vertelde dat Khwaja Khandir zijn visgids is. Hij omschreef Khwaja Khandir als de islamitische versie van de heilige Geest: Khwaja Khandir vertelt hem waar de vissen zijn en onderwijst hem dingen over het leven zoals hoe hij met zijn geld moet omgaan of hoe hij innerlijke vrede kan krijgen of hoe hij zijn vrouw een plezier kan doen. Het was overdreven en opruiend. Ik voelde me alsof ik de geest van de toekomst op bezoek kreeg en de geest zei: 'Hé, Don, je zult eindigen zoals deze vent: Een christelijke yuppieschrijver zonder ruggengraat!'

o o o

Ik denk dat mijn verlangen om in een andere god dan Jezus te geloven voornamelijk voortkwam uit verveling. Ik wilde iets nieuws. Ik wilde iets fris om over na te denken, te geloven, mijn gedachten mee te laten stoeien. Ik begrijp eerlijk gezegd wel dat de kinderen van Israël in zo'n benarde toestand verzeild raakten. Mozes gaat weg om met God te praten, hij blijft een tijd weg en dus eist het volk een god die ze kunnen zien en aanraken – een god die ze kunnen aanbidden in de absolute zekerheid dat hij bestaat. Dus maken ze een gouden koe (rare keuze, maar ieder zijn ding). Mozes komt terug van zijn gesprek met God en treft de kinderen van Israël aan terwijl ze een valse god aanbidden en hij draait door. Ik probeerde mezelf als een van de kinderen van Israël voor te stellen terwijl Mozes de berg afkomt.

'Wat ben je aan het doen, Don?' vraagt Mozes.

'Een gouden koe aanbidden.'

'Waarom? Waarom zou je de enige ware God afwijzen?'

'Omdat ik Hem niet te zien krijg en niet met Hem kan praten. Ik weet niet eens zeker of Hij wel bestaat.'

'Ben je niet wijs, Don? Was jij er dan niet bij toen God de Rode Zee in tweeën spleet? Was jij er niet bij toen God ons van de grond voedde, water uit een rots liet stromen, ons uitleidde met een wolk?' schreeuwt Mozes.

'Rustig aan, Moosje. Luister eens even, jij gaat altijd maar naar boven om met God te praten en komt met een roodverbrande huid weer beneden en God zweeft rond jouw tent in een wolk en God verandert jouw staf in een slang, maar wij krijgen niets. Niets! Wij hebben niet die persoonlijke communicatie met God, Mozes. Wij zijn maar schapen hier in de woestijn en eerlijk gezegd waren we beter af toen we nog slaaf van de Egyptenaars waren. Daar heeft die God van jou voor gezorgd. Wij hebben ook een god nodig. We hebben een god nodig die we kunnen aanbidden. We hebben een god nodig die we kunnen aanraken en voelen en waar we op een hele persoonlijke manier mee kunnen praten. Dus heb ik een koe gemaakt. Je kunt hem ook aan een kettinkje om je hals dragen.'

'Don,' antwoordt Mozes, 'voor ik je ter dood breng en je naar huis stuur, naar de enige ware God, wil ik dat je iets goed begrijpt. Ik wil dat je begrijpt dat God nooit verzonnen is en dat hij ook nooit bedacht zal worden. Hij is geen product van een bepaald soort verbeelding. Hij is niet trendgevoelig. En God heeft ons uit Egypte weggeleid omdat jouw volk het naar Hem uitschreeuwde. Hij verhoorde jullie gebeden omdat Hij een barmhartig God is. Hij had je ook aan Satan over kunnen laten. Klaag niet over de manier waarop God je gebeden verhoort. Je leeft nog steeds op een aarde waar de duivel heerst. God heeft ons een nieuw land beloofd en daar zullen we uiteindelijk aankomen. Jouw probleem is niet dat God niet voldoet, jouw probleem is dat jij verdorven bent.'

o   o   o

En Mozes had gelijk. God is hier niet om mij te aanbidden, om zichzelf in een of ander vat te gieten zodat ik in mijn comfortzone kan blijven zitten. Ik denk dat een deel van mijn probleem is dat ik wil dat spiritualiteit dichterbij en echter is. Ik begrijp waarom mensen kristallen om hun nek dragen en waarom ze spreekkoren laten horen en naar de sterren staren. Ze zijn eenzaam. Ik heb het niet over eenzaam omdat ze geen geliefde of vriend hebben. Ik bedoel eenzaam in de universele betekenis. Eenzaam in de betekenis dat we kleine, nietige mensen zijn op een kleine, nietige aarde die ergens in een immens grote, lege ruimte hangt, waar het echoot van ster naar ster naar ster. En het lijkt er niet op dat God een interactieve radioshow heeft.

Maar toen Superhippe Schrijver die avond in Powells voorlas uit zijn boek, dacht ik aan de moslimbaby's die sterven in Afghanistan en Pakistan. Ik dacht aan de economische crisis in Saoedi-Arabië en de kinderen in Irak die worden gebombardeerd omdat hun belachelijke dictator niet wil samenwerken met de Verenigde Naties. En toen dacht ik aan Khwaja Khandir en ik vroeg me af waar de Superhippe Schrijver het lef vandaan haalde om te veronderstellen dat Khwaja Khandir er de tijd of het verlangen voor zou hebben om met hem mee te gaan vissen. Superhippe Schrijver probeerde hip en relevant te zijn, maar omdat hij zo zijn best deed, deed hij afbreuk aan de hele islamitische wereld. En hij was ontrouw aan Jezus. Hij deed me aan Lot denken die zijn dochters aan perverse lieden offerde omdat hij vrede wilde. Superhippe Schrijver stuurde Mohammed en Jezus er samen op uit, vroeg hen om elkaars hand vast te houden zodat niemand zich slecht zou voelen of, misschien nog wel meer, omdat hij dan iets moderns had om in te geloven.

o   o   o

Ik praatte met Tony over Superhippe Schrijver. Ik zei hem hoe walgelijk het was dat deze vent Jezus ontrouw was en de Islam vertrapte. Toen ik hem het verhaal van Superhippe Schrijver vertelde deed Tony zijn ogen dicht en zuchtte. Ik vroeg hem waarom hij er zo bezorgd uit zag. Hij zei dat dat was omdat hij veroordeeld was.

'Waarom ben je veroordeeld, Tony?'

'Ik ben veroordeeld om datgene wat jij zegt,' begon hij. 'Het gaat hier om een kerel die islamitisch vocabulaire gebruikt om spiritueel over te komen maar hij heeft dat geloof niet echt onderzocht en hij hangt het ook niet aan. Hij gebruikt het alleen maar. Hij verkracht het voor zijn eigen plezier.'

'Waarom ben jij dan veroordeeld?' vroeg ik hem. 'Ik heb jou nog nooit op die manier over islamitische ideeën horen praten.'

'Dat weet ik,' zei Tony. 'Maar ik doe hetzelfde met Jezus.'

Toen Tony dat zei was het alsof de waarheid de kamer binnenkwam en bij ons kwam zitten. Ik had het gevoel dat Jezus voorzichtig mijn hoofd vasthield zodat hij de balk uit mijn oog kon halen. Alles werd duidelijk. Ik besefte ineens dat ik naar afgoden verlangde omdat Jezus niet door mijn hoepels zou springen en ik besefte dat mijn geloof, net als dat van Tony, draaide om reputatie en ego, niet om het praktiseren van geestelijkheid.

Voor mij was de komst van Superhippe Schrijver in de stad het begin van iets nieuws. Het was het begin van mijn oprechte christendom. Superhippe Schrijver, Khwaja Khandir en Tony de Rapper waren de zaadjes van verandering. Ik kende Christus maar ik was geen praktiserend christen. Ik had de reputatie van een spiritueel persoon, maar ik boog me voor de gouden koeien van religie en filosofie. Het was een van die verhelderende momenten, een van die momenten waarop je eerlijk in de spiegel kijkt en waarop je niet meer vergeet wie je bent. Het was een moment zonder schijn. Vanaf dat moment begonnen de dingen pas echt interessant te worden.

9
Verandering

Nieuw begin van een oud geloof

Voor ieder persoon die Jezus ontmoet en die gelooft dat Jezus de Zoon van God is komt er een tijdstip waarop diegene besluit zijn leven toe te wijden aan het volgen van Hem. Sommige mensen, zoals de apostel Paulus, nemen dit besluit op het moment dat ze Hem voor het eerst ontmoeten. Anderen, zoals de apostel Petrus, gaan eerst door jaren van halfhartige toewijding en geestelijke verwarring voordat ze zich er ineens met al hun passie op storten. Weer anderen halen misschien wat steun uit Gods liefde en genade zonder de ware vreugde van een huwelijk met hun schepper binnen te gaan.

Niet lang nadat ik van de middelbare school kwam ging ik leiding geven aan een studentengroep in een grote kerk even buiten Houston. Ik koesterde die rol, in de eerste plaats omdat het een ereplaats was. Ik studeerde urenlang in de Bijbel, maakte voordrachten die de studenten aanspraken. Het werd een plaatsvervangende baan als leraar. De leider van de groep kon er op een keer niet zijn en vroeg mij om zijn plaats in te nemen. Toen mij gevraagd werd te spreken, sprong ik op die kans af zoals Homer Simpson op een donut. Al snel was ik degene die het onderwijs verzorgde. Ik zwom rond in de aandacht en de lof, ik hield ervan, ik verlangde er hevig naar, ik verdronk er zowat in.

Hoe meer aandacht ik kreeg, des te vreemder werd ik. Ik was

op weg om mijn eigen religieuze tv-show te hebben. Oké, dat is een beetje overdreven, maar je snapt wel wat ik bedoel. Ik glimlachte, schudde handen, kuste baby's, gaf speeches. Ik zei dingen als: 'God zij met je,' en 'Gods zegen.' Ik gebruikte clichés zoals een slechte romanschrijver doet.

Ik leidde de studentengroep een aantal jaren en vond het eerst wel leuk, maar het duurde niet lang voor ik me onecht ging voelen. Ik werd moe van mezelf. Ik hield er niet van om mezelf te horen praten want ik klonk als de gastheer van een talkshow.

Op een middag maakte ik een afspraak met mijn predikant en zei hem dat ik vertrok, dat ik de wereld in zou gaan om mijn gedachten op een rijtje te krijgen.

'Hoe lang blijf je weg?' vroeg hij.

'Ik weet het niet.' Ik haalde mijn schouders op.

'Gaat het wel goed met je?'

'Ik denk het. Misschien,' zei ik tegen hem.

'Kun je er over praten?' Hij keek bezorgd.

'Nee, niet echt.'

'Ik kan wel snappen dat je er even tussenuit moet. Waarom neem je niet een paar weken vrij?'

'Ik zat aan een langere periode te denken,' zei ik tegen hem.

'Hoe lang?'

'Ik weet het niet. Kun je een tijdslimiet op zulk soort dingen zetten?'

'Wat voor dingen, Don?'

'Ik weet het niet,' zei ik, terwijl ik uit het raam staarde.

'Kun je me vertellen hoe je je voelt?'

'Nee. Ik heb geprobeerd om er woorden voor te vinden, maar ik kan het niet. Ik ben gewoon zo moe. Geestelijk leeggelopen. Het voelt alsof ik constant door hoepels moet springen. Ik heb niet het gevoel dat God door mij heen onderwijst. Het voelt alsof ik een gemaakt persoon ben. Ik zeg wat ik moet zeggen, doe wat ik moet doen, maar ik meen het niet echt.'

'Wat wil je echt zeggen en doen?' vroeg hij me.

'Ik weet het niet. Daar hoop ik achter te komen als ik wegga.'

'Zit je in een geloofscrisis?' Hij keek opnieuw bezorgd.

'Misschien. Wat is een geloofscrisis?' vroeg ik hem.

'Geloof je in God?'

'Ja. Ik wil er met Hem opuit gaan.'

'Je hebt helemaal geen twijfels?' vroeg hij.

'Nee. Ik heb geen enkele twijfel over God of zo; het ligt gewoon aan mezelf. Ik heb het gevoel dat ik constant dingen zeg die ik niet meen. Ik zeg tegen mensen dat ze hun geloof moeten delen, maar ik heb niet het gevoel dat ik dat zelf doe. Ik zeg mensen dat ze het Woord moeten lezen, maar zelf lees ik het Woord alleen maar omdat ik uit het Woord moet onderwijzen. Eergisteren zei ik tegen iemand: 'Gods zegen.' Wat betekent dat? Mijn hele leven zeg ik al zulk soort dingen, maar wat betekent het? Toen begon ik na te denken over al die onzin die ik uitkraam. Alle clichés, alle overgenomen motto's. Ik ben informatieve reclame voor God aan het maken en ik gebruik het product zelf niet eens. Ik wil niet meer zijn wie ik ben.'

'Dus jij denkt dat je weg moet gaan,' lichtte hij toe.

'Ja.'

'Waar ga je heen?'

'Amerika.'

'Amerika?' Hij keek verward.

'Amerika.'

'We zijn in Amerika, Don.'

'Ja, weet ik. Maar er zijn nog meer delen van Amerika. Ik wil de andere delen ook graag zien. Ik keek eergisteren op de kaart en Texas was bruinachtig met een beetje groen, wat heuvels, maar er waren ook plaatsen die groener waren en die grote woeste bergen hadden. Daar wil naartoe.'

'Denk je dat God daar ergens is? Op die woeste plaatsen?'

'Ik denk dat God overal is.'

'Maar waarom moet je dan weggaan?'

'Ik kan hier gewoon niet langer meer zijn. Ik voel me niet lekker hier. Ik voel me niet zo lekker. Incompleet. Moe. Het heeft niets met deze kerk te maken; het ligt gewoon aan mezelf. Achter de schermen is iets misgegaan en ik ben de persoon geworden die ik zou moeten zijn en niet de persoon die ik ben. Het voelt alsof ik terug moet gaan om de persoon die ik ben te halen en hem hier te brengen bij de persoon die ik zou moeten zijn. Volg je me eigenlijk wel? Weet je wel waar ik het over heb, over de groene woeste plaatsen?'

Zo ging het gesprek nog wel een uur door. Ik ging maar door over hoe de echte ik zich in de groene woeste plaatsen bevond. Het sloeg helemaal nergens op. Ongelooflijk dat mijn predikant de mannen met de witte jassen niet heeft gebeld om me daar weg te halen.

o o o

Wat ik toen eigenlijk wilde is denk ik wat elke christen wil, of ze zichzelf nu begrijpen of niet. Wat ik wilde was God. Ik wilde tastbare interactie. Maar om eerlijk te zijn wilde ik vooral weten wie ik was. Ik voelde me een robot of een insect of een mysterieuze vlek die in het universum ronddobbert. Ik geloofde dat God in staat zou zijn om uit te leggen wie ik was en waarom, als ik contact kon leggen met Hem.

De dagen en weken die voorafgaan aan de echte toewijding aan Jezus kunnen vreselijk en eenzaam zijn. Ik denk dat ik bittere gevoelens had vanwege de menselijke ervaring. Ik had er nooit om gevraagd om mens te zijn. Er is niemand de baarmoeder in gekomen om de situatie aan me uit te leggen en toestemming te vragen om me op aarde te zetten om te leven en te ademen en te eten en blijdschap en pijn te voelen. Ik bedacht me hoe vreemd het was om mens te zijn, hoe we vastzitten in dit lichaam, gedwongen om te worden aangetrokken tot het andere geslacht, gedwongen om voedsel te eten en naar de wc te gaan en hoe we door de zwaartekracht vastgeplakt zijn aan de aarde. Ik dacht dat ik misschien wel gek werd.

Ik had een week lang bittere gevoelens omdat ik onder water niet kon ademhalen. Ik zei God dat ik een vis wilde zijn. Ik had ook wat bittere gevoelens over slapen. Waarom moeten we slapen? Ik wilde in staat zijn om wakker te blijven zolang als ik wilde, maar God had me in een lichaam geplaatst dat slaap nodig heeft. Het leven leek niet meer een ervaring van vrijheid.

Ongeveer twaalf uur na mijn gesprek met de predikant sprong ik samen met een vriend van mij in zo'n Volkswagencampertje en we gingen er vandoor op weg naar de groene woeste plaatsen. Toen we een week op onze Amerikatocht waren, bevonden we ons op de bodem van de Grand Canyon, waar het, naar toen bleek, meer woest dan groen is. Het was een enorme tocht, dat kan ik je vertellen. Ik was totaal niet in vorm. Dus tegen de tijd dat ik de bodem van dat gigantische gat had bereikt, voelde ik me ellendig. Het was er prachtig, begrijp me niet verkeerd, maar als je hoofd bonst en je je onderhelft niet meer kunt voelen, wil je niet gaan zitten om na te denken over hoe mooi alles is. Woest of niet.

Het ravijn is vanaf de rand spectaculairder dan bij de rivier. Maar toen mijn vriend en ik bij de rivier in slaap vielen, had ik een dierbaar moment met God. Ik had veel pijn door de wandeltocht dus ik was niet in de stemming om te leuteren. Er was geen sprake van Hem proberen te imponeren, geen sprake van de juiste woorden spreken. Ik begon gewoon te bidden en met God te praten op de manier waarop een kind met zijn vader kan praten.

Onder de miljarden sterren en naast de rivier, riep ik God zachtjes.

'Hallo?'

De sterren bleven stil. De rivier sprak in een andere taal, een dialect voor de vissen.

'Het spijt me, God. Het spijt me dat ik verward over U ben geworden, zo gemaakt. Ik hoop dat het nog niet te laat is. Ik weet echt niet wie ik ben, wie U bent of hoe geloven eruit ziet. Maar als U wilt praten, ben ik hier nu. Toen ik jong was voelde ik dat U me veroordeelde, en nu voelt het alsof U tot me door probeert te dringen. Maar het lijkt alsof U een buitenaards wezen bent of zo, iemand ver weg.'

Geen geluid van de sterren. Vissentaal van de rivier. Maar terwijl ik daar lag, met God praatte en oprecht tegen Hem was, begon ik wat kalmte te ervaren. Het voelde alsof ik mijn excuses aanbood aan een oude vriend, iemand met wie ik wat problemen had, en de vriend zei dat het goed was, dat hij er niet meer aan dacht. Het voelde alsof ik opnieuw begon, of voor het eerst begon. Dat is wat gebeurt als je jezelf aan God geeft. Sommige mensen worden er heel emotioneel van en andere mensen voelen niet veel meer dan de vrede die ze hebben na het maken van een belangrijke beslissing. Ik voelde heel veel vrede.

Er is iets moois aan de Grand Canyon bij nacht. Er is iets moois aan een miljard sterren die op hun plaats worden gehouden door een God die weet wat Hij doet. (Ze hangen daar, de sterren, als noten op bladmuziek, vrije verzen, stille mysteries die als jazz ronddwarrelen in de leegte.) En terwijl ik daar lag, drong het ineens tot me door dat God daar ergens boven is. Natuurlijk wist ik dat altijd al wel, maar dit keer voelde ik het, besefte ik het, op een manier waarop iemand beseft dat hij honger of dorst heeft. De kennis over God sijpelde uit mijn brein in mijn hart. Ik stelde me Hem voor terwijl Hij op deze aarde neerkijkt, half boos omdat zijn geliefde mensenkind hem ontrouw was geweest, overspel had gepleegd, en toch hopeloos verliefd op haar, dronken van liefde voor haar.

Ik weet een beetje waarom er bloed in mijn lichaam is, dat het leven in mijn ledematen en door mijn brein wordt gepompt. God wilde mij. Hij wil dat ik doorga, Hij wil me door de duisternis van de schaduw van de dood leiden, naar de hoogten van zijn aanwezigheid en het hiernamaals. Ik begrijp dat ik tijdelijk ben, in deze schelp die mijn lichaam is en dit stof dat de aarde is. Ik wordt verleid door Satan, we worden allemaal verleid door Satan, maar ik ben bewaard om zij die dat nog niet weten over onze Verlosser en

Heiland te vertellen. Daarom stelde Paulus geen vragen. Daarom kon hij de ene dag worden neergeslagen, de volgende dag gevangen zitten en weer vrij worden gelaten om vervolgens weer geslagen te worden zonder dat hij God vroeg waarom. Hij begreep dat de aarde gevallen was. Hij begreep dat de regels van Rome de mensheid niet konden redden, dat de mensheid zichzelf niet kon redden; nee, de mensheid moest gered worden en hij wist dat hij niet in het beloofde land was, maar nog in de woestijn, en net als Jozua en Kaleb schreeuwde hij: 'Volg mij en vertrouw op God!'

Nu snap ik het. Ik snap dat God zich naar Penny uitstrekte in dat studentenhuis in Frankrijk en ik snap dat het racisme waar Laura en ik het over hadden voortkomt uit het zaad der anarchie, het zaad van de boze. Ik zag Satan als een gek tekeergaan op aarde. Hij zette in Rwanda stammen tegen elkaar op, fluisterde in de oren van mannen in Congo zodat ze de vrouwen niet gingen beschermen maar ze verkrachtten. Satan is aan het werk in de afgodendienst van de Derde Wereld, de economische chaos in Argentinië en de hebzucht van Amerikaanse bedrijfsbesturen.

Ik lag daar onder de sterren en bedacht wat een grote verantwoordelijkheid het is om mens te zijn. Ik ben een mens omdat God me zo gemaakt heeft. Ik ervaar lijden en verleiding omdat de mens ervoor koos om Satan te volgen. God strekt zich naar me uit om me te redden. Ik leer om Hem te vertrouwen, om naar zijn voorschriften te leven en zo te worden bewaard.

10

Geloof

De geboorte van cool zijn

Mijn meest recente geloofsworsteling is niet een verstandskwestie. Daar doe ik eigenlijk niet meer aan. Vroeg of laat kom je er achter dat er lui zijn die niet in God geloven en die kunnen bewijzen dat Hij niet bestaat en andere lui die wel in God geloven en die wel kunnen bewijzen dat Hij bestaat. De discussie gaat al lang niet meer over God, maar het draait erom wie slimmer is en eerlijk gezegd kan me dat niet zo schelen. Ik geloof niet dat ik ooit om intellectuele redenen bij God weg zou lopen. Wie weet er nu eigenlijk wat? Als ik bij Hem wegloop, en bid alsjeblieft dat ik dat nooit zal doen, doe ik dat om sociale redenen, identiteitsredenen, diepe emotionele redenen, dezelfde redenen waarom iedereen zijn dingen doet.

Mijn vriendin Julie Canlis uit Seattle heeft een mooie moeder die Rachel heet. Ze is klein en tenger en weet elke keer als ik daar op visite kom mijn naam nog. Op een ochtend zat ik aan de bar in de keuken met Rachel. We praatten over liefde en huwelijk en ze straalde een beetje toen het over haar echtgenoot ging. Ik vertelde haar in een van die zeldzame kwetsbare momenten dat ik bang was om te trouwen omdat ik dacht dat mijn vrouw misschien ineens zou ophouden met van mij te houden nadat ze een film had gezien of een boek had gelezen of me naakt had gezien. Je weet maar nooit wat er uit dat soort dingen voortkomt. Rachel keek naar me door de damp die opsteeg uit haar koffiekop en zei, heel wijs en bemoedigend, dat het als een relatie goed is, net zo min aannemelijk is dat je wakker wordt en uit dat huwelijk wilt stappen als dat je wakker wordt en stopt met in God geloven. Wat er *is* dat is er, zei ze.

En toen besefte ik dat in God geloven evenzeer te maken heeft met verliefd worden als met het nemen van een beslissing. Liefde is iets wat je overkomt *en* iets waartoe je besluit. En daarom kom ik met het verhaal van Julies moeder op de proppen. Niet omdat ik het over liefde wilde hebben, maar omdat ik het over geloof wil hebben. Natuurlijk komen er wat meer gegevens bij kijken, maar het gaat vooral om een diepe, diepe overtuiging, zoals dat wat Julies moeder voor haar echtgenoot voelt, het idee dat het leven om dat ene ding draait en dat het echt geen optie is dat dat wat anders zou zijn.

Ik sprak pas met een meisje dat zei dat ze Ethan Hawke, de acteur en schrijver, leuk vond. Hij heeft een paar romans uitgebracht en ze schijnen erg goed te zijn, maar ik heb ze niet gelezen. Ik weet dat hij fan is van Douglas Coupland, wat prima is als je het mij vraagt, dus waarschijnlijk ga ik weleens wat van hem lezen. Maar zij zei dat ze hem zo'n leuk persoon vond en ik vroeg haar waarom. Ze moest daar wel even over nadenken voor ze antwoord gaf, maar haar antwoord was omdat hij een acteur *en* schrijver is, niet alleen maar acteur. Hij is acteur *en* schrijver en daarom vind je hem leuk? vroeg ik. Ja, zei ze. Dat vond ik wel erg diepzinnig. Ik was een beetje chagrijnig dus ik vroeg haar of ze wist wat hij geloofde. Wat bedoel je, zei ze. Ik bedoel, weet je wat hij gelooft? Ik keek haar strak aan. Wat hij gelooft waarvan? vroeg ze. Van alles, zei ik. Nou, vertelde ze terwijl ze achterover in haar stoel ging zitten, dat weet ik niet. Ik weet niet wat hij gelooft. Vind je hem cool? vroeg ik haar. Natuurlijk is hij cool, zei ze.

En dat frustreert me nou zo. Ik weet niet of we echt van die iconen uit de popcultuur houden, ze volgen en hun werk kopen omdat we het eens zijn met wat ze geloven of dat we dat doen omdat we ze cool vinden.

Ik vroeg me eergisteren af waarom we idolen maken van populaire figuren. Natuurlijk heb ik daar een theorie over. Ik denk dat we de behoefte hebben om cool te zijn, dat er een onderstroom in de maatschappij is die zegt dat sommige mensen cool zijn en anderen niet. En het is heel erg belangrijk dat we cool zijn. Dus als we dan op tv of op de radio iemand vinden die cool is, associëren we onszelf met die persoon om onszelf sterk te maken. En het probleem dat ik daarmee heb is dat we nauwelijks weten waar de persoon met wie we ons associëren in gelooft. Het probleem hiervan is dat het aangeeft dat er minder waarde ligt in datgene wat mensen geloven, waar ze voor staan; het doet er alleen toe of ze cool zijn. Met andere woorden, wat kan het schelen wat ik geloof over het leven, als ik maar cool ben. Want uiteindelijk geeft de onderstroom die door de cultuur stroomt mensen geen waarde op basis van wat ze geloven en wat ze doen om de maatschappij te helpen. De onderstroom bepaalt de waarde gebaseerd op het al dan niet cool zijn.

Het is niet mijn bedoeling om af te geven op die vriendin die van Ethan Hawke houdt. Ze is heel intelligent en heeft een diep geloof, maar ik vind het gewoon grappig dat ik haar op oppervlakkigheid heb betrapt. Met oppervlakkigheid bedoel ik dan dat zij zichzelf associeerde met iemand, iemand cool vond, en toch niet wist wat hij geloofde. Ik vind het leuk dat ik haar betrapte omdat zij meestal niet zo is en ik meestal wel en ik haat dat van mezelf en van haar vind ik het geweldig, dus toen zij wat van zichzelf liet zien, wilde ik even aantonen dat ze zich in mijn buurt bevond.

Ik was verliefd op een meisje dat in Chicago naar een bijeenkomst tegen Bush' plan om Irak aan te vallen ging. We zaten in de woonkamer van mijn vriendin en praatten erover en zij was in een slecht humeur en op een gegeven moment stak ze haar vuist omhoog en zei ze: 'Weg met Bush!' Daarna was ik niet meer verliefd op haar. Niet omdat ik wel van George W. Bush hield, maar omdat ze geen idee had waarom zij niet van George W. Bush hield. Ze ging alleen naar een bijeenkomst en hoorde een goede band en zag een hoop coole mensen met coole kleding en hippe kapsels. Ze bepaalde wat ze geloofde op basis van het feit dat andere mensen die dat geloofden een stijl hadden die haar aansprak. Ik herkende mezelf behoorlijk in haar en dat maakte me bang. Zulke meisjes zorgen ervoor dat ik met Penny wil trouwen want Penny gelooft echt in dingen. Ze leeft ze uit. Ik zei tegen Penny dat ik met haar wilde trouwen, maar ze had geen interesse. Ik vraag Penny nu maandelijks door de telefoon ten huwelijk, maar ze blijft maar van onderwerp veranderen.

Waar ik zelf aan moet werken is het onderwerp geloof. Gandhi geloofde Jezus toen Hij zei de andere wang toe te keren. Gandhi zette het Britse Rijk aan de grond, keurde het kastenstelsel af en veranderde de wereld. Moeder Teresa geloofde Jezus toen Hij zei dat iedereen kostbaar was, zelfs lelijke, stinkende mensen en Moeder Teresa veranderde de wereld door haar te laten zien dat een mens onzelfzuchtig kan zijn. Petrus geloofde eindelijk in het evangelie nadat hij door Paulus op zijn nummer was gezet. Petrus en Paulus veranderden de wereld door kleine kerken te stichten in goddeloze steden.

Eminem gelooft dat hij een betere rapper is dan andere rappers. Diepgaand. Laten we Eminem allemaal volgen.

Dit is de truc, en gelijk ook mijn punt. Satan, die naar ik geloof zeker bestaat, wil ons om nietszeggende redenen in nietszeggende dingen doen geloven. Kun je je voorstellen dat christenen echt geloven dat God ons uit de put van onze zelfverslaving probeerde te redden? Kun je je dat voorstellen? Kun je je voorstellen wat Amerikanen zouden doen als ze begrepen dat meer dan de halve wereld in armoede leefde? Denk je dat ze hun manier van leven aan zouden passen, de producten die ze kochten en de politici die ze kozen? Als we de juiste dingen zouden geloven, de ware dingen, zouden er niet zoveel problemen op aarde zijn.

Maar het probleem van een diep geloof is dat het wat kost. En in mij zit iets, een of ander zelfzuchtig, beestachtig, subtiel iets, dat helemaal niet van de waarheid houdt omdat die verantwoordelijkheid met zich meebrengt. En als ik deze dingen echt geloof moet ik er ook iets aan doen. Het is zo hinderlijk om in iets te geloven. En het is niet cool. Ik bedoel, het is dan misschien cool in de zin van Amnesty International, maar daar koop je weinig voor. Het komt er op neer dat je er niet helemaal voor kunt gaan; jij wilt ook een groot huis en dure kleren omdat dat wat wij geloven uiteindelijk even lang meegaat als de mode van het seizoen. Uiteindelijk houden wij ook van Ethan Hawke terwijl we niet weten wat hij gelooft. Zelfs onze overtuigingen zijn trendgevoelig geworden. We geloven niet meer in dingen omdat we ze geloven. We geloven alleen maar in dingen omdat ze cool zijn om in te geloven.

Het probleem met het christelijk geloof – en dan bedoel ik echt christelijk geloof, het geloof dat er een God en een duivel en een hemel en een hel is – is dat het niet hip is om daarin te geloven.

Ik had een keer het idee dat als ik het christendom cool zou kunnen maken, ik de wereld zou kunnen veranderen, omdat als het christendom cool zou zijn, iedereen zou willen afrekenen met zijn zondige natuur. En als iedereen zou afrekenen met zijn zondige na- tuur zouden de meeste problemen van de wereld opgelost zijn. Ik besloot dat de beste manier om het christendom cool te maken het gebruik van kunst was. Ik probeerde een kort verhaal te schrijven over een moderne christen, zodat iedereen zoals hem wilde zijn.

Mijn moderne christen was diepzinnig. Diepe gronden. Een dichter. Hij bestudeerde Thompson tijdens zijn drugsjaren, tijdens zijn prostitutiejaren. Hij had *The Hound of Heaven, In No Strange Land,* T.S. Eliots *Four Quartets* bestudeerd. Hij rookte pijp en las boeken uit de Romantiek. En Amerikaanse schrijvers. Ginsbergs *'I watched the greatest minds of my generation descend into mad- ness...'* ging volgens hem over de zondige natuur. Een deel van hem was voor sociale gerechtigheid. Hij kon ook skateboarden en speel- de in een rockband.

Zijn naam was Tom Toppins en ondanks zijn belachelijke naam zegevierde hij omdat hij op een oude Triumph motor reed. In mijn verhaal ging Tom Toppins weleens uit met een meisje met blonde dreadlocks. Zij was een boeddhist; hij was een christen. Hij ging naar de Grieks-Orthodoxe kerk. Zij ging zo af en toe met hem mee naar de kerk, maar hij deed niet mee aan haar geloof. Hij vond het oppervlakkig, teveel met gebruiken. Hij vertelde haar dat tijdens een lunch in haar appartement en ze barstte uit in woede. Daarna begon ze te huilen, maar hij troostte haar niet. Hij stond op en deed zijn jas aan en stak een sigaret op en zei tegen haar dat hij naar de kerk ging. Ze schreeuwde: 'Hoe kunnen jullie christenen doen alsof jullie de waarheid bezitten!' Hij streek zijn jas glad terwijl hij in de spiegel keek en fluisterde tegen zichzelf: *'Het is nu eenmaal niet anders, schatje. Het is niet anders.'*

Hij liep naar buiten en liet haar huilend van verdriet en wrijvend over de buik van haar kleine Boeddhabeeldje achter. Hij dacht niet meer aan haar tot hij de volgende dag langs haar appartement kwam. Tom Toppins ging naar binnen en hoewel het al middag was, trof hij haar slapend aan met een rood gezicht dat nat zag van de tranen. Hij haalde een gedichtenbundel uit zijn motorjack, Elizabeth Barrett Browning, en las haar voor uit *Sonnets from the Portugese* totdat ze langzaam wakker werd. Hij ging naast haar liggen en legde haar hoofd op zijn vrije arm. Ze begroef haar gezicht in het holletje van zijn arm en snikte, maar hij hield niet op met lezen.

Mijn eigen geliefde, die me heeft opgetild
van deze sombere aardvlakte waar ik was neergegooid,
en, tussen de willoze krullen, geblazen.
Een levensademhaling, tot het voorhoofd weer hoopvol glanst,
voor je reddende kus! Mijn eigen, mijn eigen,
die naar me toe kwam toen de wereld voorbij was,
en ik die op zoek was naar God, vond jou.

Eergisteren zag ik een film over allerlei mensen van een universiteit in het oosten en het was nogal een onsmakelijke film. Een figuur in die film was een drugsdealer, een zak, en alle andere mensen in die film hielden van hem en wilden seks met hem. Een van mijn huisgenoten, Grant, zei eergisteren dat meisjes altijd van slechte kerels houden. Mijn vriendin Amy is denk ik ook zo. En mijn vriendin Suzy was ook zo, maar Suzy zegt dat ze er overheen is en dat ze nu van mannen houdt die redelijk aardig en stabiel zijn.

Maar met Tom Toppins was het het geval dat hij echt in dingen geloofde. Hij liet zich niet beïnvloeden. Hetzelfde wat die drugsdealer had in die onsmakelijke film, die ik je absoluut niet kan aanbevelen, had Tom Toppins ook: geloof. Drugsdealer Dude was niet op zoek naar iemand die hem een schouderklopje kon geven en hem dingen kon leren, hij bewoog zich voort, verzekerd van iets, ook al was het allemaal corruptie en bracht hij mensen in de hel. Als je ergens vurig in gelooft zullen mensen je volgen omdat ze denken dat jij iets weet wat zij niet weten, een of andere sleutel tot de zin van het bestaan. Maar passie is sluw, want het kan evengoed in de richting van niets wijzen als in de richting van iets. Als een rapper vol passie rapt over hoe geweldig zijn rap wel niet is, wijst zijn passie naar niets. Hij helpt er niemand mee. Zijn overtuigingen zijn uit eigenbelang en oppervlakkig. Maar als een rapper rapt over de gemeenschap waar hij uit komt, over onderdrukking en onrecht, dan heeft hij passie voor een boodschap, iets buiten zichzelf. Datgene waar mensen in geloven is belangrijk. Datgene wat mensen geloven is belangrijker dan hoe ze eruit zien, wat hun vaardigheden zijn of wat hun opleiding of passie is. Passie voor niets is als het voltanken van een auto zonder wielen. Niemand schiet er iets mee op.

Mijn vriend Andrew de Protesteerder gelooft in dingen. Andrew gaat naar protestbijeenkomsten waar hij met pepperspray bespoten wordt. Hij doet dat omdat hij gelooft in het feit dat zijn stem verandering kan brengen. Het frustreert mijn republikeinse vrienden als ik Andrew afschilder als een held, maar ik mag Andrew graag omdat hij in dingen gelooft die hem wat kosten. Zelfs al ben ik het niet eens met Andrew, ik vind het geweldig dat hij bereid is een offer te brengen voor datgene waarin hij gelooft. En ik vind het geweldig dat hij in sociale motieven gelooft.

Andrew zegt dat het niet voldoende is om politiek actief te zijn. Hij zegt dat wetgeving de wereld nooit zal redden. Zaterdagsochtends voedt Andrew de daklozen. Hij zet een noodkeuken op een trottoir en maakt een ontbijt voor mensen die op straat leven. Hij serveert koffie en zit bij zijn dakloze vrienden en praat en lacht, en als ze willen bidden bid hij met hen. Hij is echt een vurig liberaal. Maar Andrew gelooft dat dat is wat Jezus wil dat hij doet. Andrew gelooft niet in lege passie.

Alle geweldige christelijke leiders zijn eenvoudige denkers. Andrew verhult zijn altruïsme niet in een doordachte economische theorie die hem toestaat om vijftig dollar te besteden aan een potje golf om daarmee de economie te stimuleren en in banen voor de armen te voorzien. Hij gelooft dat als Jezus zegt dat je de armen moet voeden, je dat letterlijk moet doen.

Andrew is degene die me leerde dat datgene wat ik geloof niet is wat ik zeg te geloven; wat ik geloof is wat ik doe.

Ik zei altijd dat ik geloofde dat het belangrijk was om mensen over Jezus te vertellen, maar ik deed het nooit. Andrew legde heel vriendelijk uit dat als ik mensen niet bekendmaak met Jezus, ik niet geloof dat Jezus een belangrijk iemand is. Het maakt niet uit wat ik zeg. Andrew zei dat ik niet als een politicus moest leven, maar als een christen. Wat ik al zei, Andrew is een eenvoudige denker.

o   o   o

Een vriend van me, een jonge predikant die pas een kerk begonnen is, praat van tijd tot tijd met me over het nieuwe gezicht van de kerk in Amerika – over de postmoderne kerk. Hij zegt dat de nieuwe kerk anders zal zijn dan de oude, dat we relevant zullen zijn voor de huidige cultuur en de problemen van de mensheid. Ik denk dat geen enkele kerk ooit relevant voor de cultuur en de problemen van de mensheid is geweest, tenzij die kerk geloofde in Jezus en de macht van zijn evangelie. Als de veronderstelde nieuwe kerk in trendy muziek en coole websites gelooft, is die ook niet relevant aan de cultuur. Dan is het alleen maar weer een instrument van Satan om de mensen gepassioneerd te laten zijn voor niets.

o   o   o

Tony vroeg me een keer of er iets was waarvoor ik zou willen sterven. Daar moest ik heel lang over nadenken en zelfs toen ik dat een paar dagen had gedaan had ik nog maar een klein lijstje. Uiteindelijk waren er niet zoveel principes waar ik voor wilde sterven. Ik zou willen sterven voor het evangelie omdat ik denk dat dat het enige revolutionaire idee is dat mensen kennen. Ik zou voor Penny, voor Laura en Tony willen sterven. Ik zou willen sterven voor Rick. Andrew zou zeggen dat sterven voor iemand gemakkelijk is, omdat het geassocieerd wordt met roem. Ergens voor leven, zou Andrew zeggen, dat is pas moeilijk. Ergens voor leven gaat verder dan mode, roem of erkenning. We leven voor datgene waarin we geloven, zou Andrew zeggen.

Als Andrew de Protesteerder gelijk heeft, als ik leef voor datgene wat ik geloof, geloof ik niet in veel nobele zaken. Mijn leven getuigt ervan dat het belangrijkste wat ik geloof is dat ik de belangrijkste persoon van de wereld ben. Mijn leven getuigt daarvan omdat ik me drukker maak om mijn eigen eten, onderdak en geluk dan om iemand anders.

Ik leer om in betere dingen te geloven. Ik leer te geloven dat andere mensen bestaan, dat mode niet waar is; Jezus is de belangrijkste figuur uit de geschiedenis en het evangelie is de sterkste macht in het universum. Ik leer om niet vurig te zijn voor lege dingen, maar om passie te ontwikkelen voor gerechtigheid, genade, waarheid en het verspreiden van de boodschap dat Jezus mensen mag en zelfs van hen houdt.

11

Biecht

Voor de dag komen

Toen ik als kind naar de zondagsschool ging, plakte mijn juf een grote poster op de muur. De poster had de vorm van een cirkel, alsof het een schietschijf was. Ze liet ons op kleine papiertjes namen schrijven van mensen van wie we wisten dat ze geen christen waren en plakte de namen op de buitenste cirkel van de schietschijf. Ze zei dat het dit jaar ons doel was om die namen te verplaatsen van de buitenste cirkel, die stond voor de afstand tot het kennen van Jezus, naar de binnenste cirkel, die stond voor het hebben van een relatie met Jezus. Ik vond de strategie geweldig, omdat het ons een doel gaf, een zichtbaar doel.

Ik kende geen mensen die geen christen waren, maar ik was een kind met een levendige fantasie dus verzon ik wat namen; Thad Thatcher was er een en William Wonka was een andere. Mijn juffrouw geloofde me niet, wat ik een belediging vond, maar in elk geval was de klas die week erop erg opgewonden over het feit dat Thad en William allebei christen waren geworden, na een dramatische bekeringservaring die de ontmanteling van een grote satanische sekte en een ondergronds drugsnetwerk omvatte. Er kwam zelfs zweverij aan te pas.

Hoewel ze niet bestonden, waren Thad en William de enige die dat jaar christen werden. Een hele tijd lang werd niemand die ik

kende christen, voornamelijk omdat ik niemand over Jezus vertelde,
behalve als ik dronken was op een feest, en dat was alleen omdat
mijn reserves dan weg waren, en zelfs dan begreep niemand me omdat ik óf huilde óf brabbelde.

o   o   o

Toen ik naar het centrum verhuisde om naar Imago-Dei te gaan, de
kerk die Rick had opgestart, was hij erg serieus over het liefhebben
van mensen, of ze Jezus als de Zoon van God beschouwden of niet,
en Rick wilde van ze houden omdat ze hongerig, dorstig of eenzaam waren. De problemen van mensen hielden Rick bezig, alsof
er in de wereld iets gebroken was en wij onze handpalmen tegen de
wond moesten houden. Hij zag evangelisatie, of hoe je het ook wilt
noemen, niet echt als een middel om mensen zover te krijgen dat ze
het met ons eens worden over de betekenis van het leven. Hij zag
evangelisatie als het bevredigen van behoeftes. Dat vond ik mooi en
beangstigend. Ik vond het mooi omdat ik dezelfde behoefte had; ik
bedoel, ik wist echt dat ik Jezus nodig had zoals ik water of voedsel
nodig heb, en toch was het beangstigend omdat het christendom
voor velen van onze cultuur zoiets stoms is en ik het vreselijk vind
om mensen ermee lastig te vallen.

Een groot deel van mij gelooft sterk in iedereen zijn eigen leven
laten leven, en als ik mijn geloof deel, voelt het alsof ik zo'n marke-
tingfiguur ben die z'n target probeert te halen.

Sommige niet-christelijke vrienden van mij denken dat christenen vasthoudend en veeleisend en opdringerig zijn, maar dat is niet
het geval. Zulke lui zijn het piepende wiel. De meeste christenen
hebben enorm veel respect voor de ruimte en de vrijheid van anderen; het is alleen zo dat zij een vreugde in Jezus hebben gevonden die
ze willen delen. Dat is het spanningsveld.

Ik werd pas geïnterviewd voor de radio en de presentator, die
zichzelf niet als een christen beschouwde, vroeg me streng of ik het

christendom kon verdedigen. Ik zei tegen hem dat ik dat niet kon en dat ik de term bovendien niet wilde verdedigen. Hij vroeg me of ik een christen was en ik zei dat dat zo was. 'Waarom wil je het christendom dan niet verdedigen? vroeg hij verbaasd. Ik vertelde hem dat ik niet meer wist wat de betekenis was van die term. Van de honderdduizenden mensen die naar zijn programma luisterden, hadden sommigen vreselijk slechte ervaring met het christendom; ze waren misschien op een christelijke school uitgescholden door een leraar, misbruikt door een geestelijke of getiranniseerd door een christelijke ouder. Voor hen betekende de term *christendom* iets dat geen christen die ik ken zou willen verdedigen. Door de term te versterken maak ik hen alleen maar bozer. Dat doe ik niet. Vraag aan tien mensen op straat wat ze denken bij het horen van het woord *christendom* en ze zullen je tien verschillende antwoorden geven. Hoe kan ik een term verdedigen die voor tien verschillende mensen tien verschillende betekenissen heeft? Ik zei tegen de radiopresentator dat ik liever praatte over Jezus en hoe ik tot de overtuiging ben gekomen dat Jezus leeft en dat Hij om me geeft. De presentator keek me aan met tranen in zijn ogen. Toen we klaar waren vroeg hij me of we samen konden lunchen. Hij vertelde me hoe groot zijn afkeer van het christendom was maar hoe hij altijd had willen geloven dat Jezus de Zoon van God was.

o   o   o

Voor mij begon het delen van mijn geloof met mensen door het christendom eruit te gooien en het geestelijk leven binnen te halen. Het geestelijk leven, een niet politiek mysterieus systeem dat ervaren kan worden maar dat niet kan worden uitgelegd. *Christendom* was, in tegenstelling tot *het geestelijk leven*, geen term die mij aansprak. En ik kon een vriend niet met een eervol geweten vertellen over een geloof dat mij niet aansprak. Ik kon niet iets delen wat ik zelf niet ervoer. En ik ervoer het christendom niet. Het deed me helemaal niets. Het voelde als wiskunde, als een systeem van goed en fout en politieke overtuigingen, maar het was niet mysterieus; het was niet God die zich vanuit de hemel naar me uitstrekte om wonderlijke dingen in mijn leven te doen. En als ik het christendom met iemand zou hebben gedeeld, zou het er vooral op neer komen dat ik probeerde om iemand van mijn gelijk te overtuigen in plaats van dat hij God zou ontmoeten. Ik kon niet langer dingen delen over het christendom, maar ik hield ervan om over Jezus te praten en over de spiritualiteit die samengaat met een relatie met Hem.

Tony de Rapper zegt dat de kerk van tegenwoordig als een gewond dier is. Hij zegt dat we vroeger macht en invloed hadden, maar nu niet meer, en zoveel van onze leiders zijn daar boos om en gedragen zich als verwende kinderen, kwaad omdat ze hun zin niet krijgen. Ze verbergen hun daden zodat het lijkt alsof ze bij hun principe blijven, maar dat is het niet, volgens Tony, het is bitterheid. Ze willen hun bal oppakken en naar huis gaan omdat ze op de bank moeten zitten. Tony en ik waren het met elkaar eens dat God wil dat we vol nederigheid op die bank zitten en dat we net als Gandhi, net als Jezus, de andere wang toekeren. We kwamen tot de conclusie dat de beste plek om ons geloof te delen een plek was van nederigheid en liefde, niet van verlangen naar macht.

o   o   o

Op Reed is er elk jaar een festival genaamd Ren Fayre. De campus wordt dan gesloten zodat de studenten feest kunnen vieren. De beveiliging houdt de autoriteiten op afstand en iedereen wordt behoorlijk dronken en high, en sommige mensen worden zelfs naakt. Vrijdagavond is de avond van het dronken worden en zaterdagavond is de avond van het high worden. De school zorgt voor White Bird, een medische afdeling die gespecialiseerd is in het behandelen van flippende drugsgebruikers. De studenten maken speciale kamers met blacklights en televisieschermen ter versterking van de trips.

Biecht

Een paar van de christelijke studenten in ons groepje besloot dat dit een goede plaats was om voor de dag te komen, om iedereen te laten weten dat er ook christenen op de campus zijn. Tony de Rapper en ik zaten op een middag in mijn kamer te praten over wat we moesten doen, hoe we aan een groep studenten, die in het verleden hun vijandigheid ten opzichte van het christendom duidelijk hadden gemaakt, gingen uitleggen wie wij waren. Net als onze vrienden hadden wij ook het gevoel dat Ren Fayre het juiste moment was om dit te doen. Ik zei dat we in het midden van de campus een biechthokje neer moesten zetten met daarop een bordje met 'Biecht je zonden op.' Ik zei dit omdat ik wist dat een hoop mensen zouden zondigen en dat het geestelijk leven begint met opbiechten en berouw tonen over onze zonden. Ik zei het ook als grap. Maar Tony vond het een fantastisch idee. Hij zat daar op mijn bank met zijn gedachten in de wolken en ik scheet zowat zeven kleuren omdat ik een seconde, en toen een hele minuut lang, geloofde dat hij het echt wilde doen.

'Tony,' zei ik heel vriendelijk.

'Wat is er?' zei hij, met een lege blik op de muur tegenover hem.

'We gaan dit niet doen,' zei ik tegen hem. Hij liet zijn blik langs de muur glijden en keek me recht in de ogen. Er verscheen een glimlach op zijn gezicht.

'Jawel, Don. Dat gaan we echt wel doen. We gaan een biechthokje bouwen!'

We troffen elkaar in Commons – Penny, Nadine, Mitch, Iven, Tony en ik. Tony zei dat ik een idee had. Ze keken naar mij. Ik zei dat Tony loog en dat ik helemaal geen idee had. Ze keken naar Tony. Tony wierp me een vuile blik toe en zei dat ik hen over het idee moest vertellen. Ik vertelde hen dat ik een stom idee had, dat we nooit konden uitvoeren zonder dat we werden aangevallen. Ze bogen zich naar me toe. Ik vertelde hen dat we in het midden van de campus een biechthokje moesten bouwen met daarop een bord met 'Biecht je zonden op.' Penny deed haar handen voor haar mond.

Nadine glimlachte. Iven lachte. Mitch begon het ontwerp van het hokje op een servet te tekenen. Tony knikte met zijn hoofd. Ik pieste in mijn broek.

'Ze steken het vast in de fik,' zei Nadine.

'Ik zal er een valluik in maken,' zei Mitch met zijn vinger in de lucht.

'Ik vind het een leuk plan, Don.' Iven klopte me op mijn rug.

'Ik wil er niets mee te maken hebben,' zei Penny.

'Ik ook niet,' zei ik tegen haar.

'Oké, mensen.' Tony trok weer even de aandacht. 'Er zit een addertje onder het gras.' Hij boog zich iets voorover en raapte zijn gedachten bijeen. 'We gaan ze niet echt laten biechten.' We keken hem verbaasd aan. Hij ging verder: 'Wij gaan biechten. We gaan opbiechten dat wij, als volgelingen van Jezus, niet erg liefdevol zijn geweest; we zijn bitter geweest en dat spijt ons. We verontschuldigen ons voor de kruistochten, we verontschuldigen ons voor televisie-evangelisten, we verontschuldigen ons voor het negeren van de armen en eenzamen, we zullen hen vragen om ons te vergeven en we zullen hen vertellen dat wij door onze zelfzuchtigheid een verkeerde voorstelling van Jezus hebben gegeven op deze campus. We vertellen de mensen die het hokje binnenkomen dat Jezus van hen houdt.'

We bleven allemaal stil zitten want het was duidelijk dat er iets moois en echts over tafel was gegaan. We vonden het allemaal een geweldig idee en dat konden we zien in elkaars ogen. Het zou zo goed zijn om ons te verontschuldigen, te verontschuldigen voor de kruistochten, voor Colubus en zijn genocide uit naam van God in de Bahamas, te verontschuldigen voor de zendelingen die in Mexico aan land gingen en naar het westen gingen en in de naam van Christus Indianen afslachtten. Ik wilde zo wanhopig graag zeggen dat niets van dit alles met Jezus te maken heeft en ik wilde me zo vreselijk graag verontschuldigen voor de vele manieren waarop ik de Heer verkeerd vertegenwoordigd had. Ik voelde dat ik de Heer had verraden door te oordelen, door niet bereid te zijn om van de mensen te houden van wie Hij hield en door alleen maar te praten over mensenrechtenkwesties.

Een groot deel van mijn leven heb ik het christendom verdedigd omdat ik dacht dat toegeven dat we iets verkeerd hadden gedaan het hele religieuze systeem in diskrediet bracht. Maar het is geen religieus systeem, het is een volk dat Christus volgt; en het was belangrijk en juist om ons te verontschuldigen voor het in de weg staan van Jezus.

Later had ik in de parkeergarage een gesprek met een zeer arrogante professor van Reed. Hij vroeg me wat mij op Reed bracht. Ik vertelde hem dat ik wel colleges volgde maar dat ik er eigenlijk was om contact te hebben met de weinige christenen die aan Reed studeren. De professor vroeg me of ik een christelijke evangelist was. Ik vertelde hem dat ik niet dacht dat ik dat was, dat ik mezelf niet als evangelist beschouwde. Hij ging verder en vergeleek mijn werk met dat van Captain Cook, die had geprobeerd om westerse waarden over te brengen op inheemse volken van Hawaï. Hij keek me recht in mijn ogen en zei dat de stammen Cook hadden gedood.

Hij wenste me geen geweldig lot op Reed.

Onderweg naar huis op mijn motorfiets kookte ik van woede en stelde me voor hoe ik die professor in de parkeergarage tot moes sloeg. Ik zag zijn sluwe glimlach, zijn intellectuele trots voor me. Natuurlijk, er waren christenen die de mensheid afschuwelijke dingen hadden aangedaan, maar daar hoorde ik niet bij. Ik had nog nooit iemand gedood. En die mensen volgden Jezus niet op het moment waarop ze hun misdaden tegen de mensheid pleegden. Het waren regeringsmensen en de regering gebruikt God altijd om de massa te manipuleren om haar te volgen.

Clinton en Bush beweren allebei volgelingen van Jezus te zijn. Iedereen die zijn zin wil krijgen zegt dat Jezus zijn visie ondersteunt. Maar dat is niet Jezus' schuld. Tony was een paar dagen eerder naar de campus gekomen, een verdrietige trek op zijn gezicht. Hij had een sticker op de bumper van een auto in de parkeergarage gezien waarop stond 'Jammer dat we de christenen niet meer aan de leeuwen kunnen voeren.'

Ik bad voor het biechthokje. Ik vroeg me af of ik me kon verontschuldigen en het ook meende. Ik vroeg me af of ik mezelf kon vernederen voor een cultuur die ons, tot op zekere hoogte, had benadeeld. Maar ik las op Penny's gezicht, in Ivens ogen, dat dit was wat zij wilden; zij wilden van deze mensen houden, hun vrienden, en het maakte hen niet uit wat het zou kosten. Het kon hen niet schelen hoe ze waren gekwetst. Ze hadden absoluut meer littekens dan Tony of ik en daarom kochten we hout en sloegen het op in mijn garage. Vrijdagsavonds gingen we naar de Thesisparade en we keken toe hoe iedereen dronken werd, op drums sloeg en danste in een nevel van bier. Tony en ik kleedden ons als monniken, rookten een pijp, liepen temidden van de anarchie en werden doorweekt door de alcohol die uit het binnenste van de menigte kwam. Mensen kwamen naar ons toe en vroegen wat we deden en we vertelden dat we de volgende dag op de campus zouden zijn om de biecht op te nemen. Ze keken ons stomverbaasd aan en soms vroegen ze of we het echt meenden. We zeiden dat ze maar moesten komen, dan zouden ze het zien. We gingen een biechthokje bouwen.

De volgende ochtend, terwijl iedereen zijn roes aan het uitslapen was, begonnen Mitch, Tony en ik dat ding te bouwen. Mitch had de plannen uitgetekend. Het hokje was enorm, veel groter dan ik had verwacht. Het was haast een hut, compleet met een hellend dak en twee kleine ruimtes, een voor de monnik en de andere voor de biechteling. We bouwden een halfhoog muurtje tussen de twee kamers en installeerden een gordijn zodat de biechteling er gemakkelijk in en uit zou kunnen. Aan onze kant maakten we een deur met een slot zodat niemand binnen zou kunnen komen om ons er weg te slepen. Nadine schilderde met grote letters 'Biechthokje' op de buitenkant van het hokje.

Toen de campus weer wat op gang kwam, begonnen mensen

die op het trottoir liepen te vragen wat we deden. Ze stonden vol verbazing naar het hokje te kijken. 'Wat moeten we doen?' vroegen ze. 'Je zonden opbiechten,' zeiden we. 'Aan wie?' vroegen ze. 'Aan God,' zeiden we. 'Er is geen God,' zeiden ze dan. Sommige van hen zeiden dat dit het moedigste was wat ze ooit hadden gezien. Ze waren allemaal vriendelijk, wat ons verbaasde.

Ik stond buiten het hokje toen een grote blauwe menigte over de campus begon te rennen. Alle mensen, het waren er meer dan honderd, waren naakt en blauw geverfd. Ze renden schreeuwend en zwaaiend het hokje voorbij. Ik zwaaide terug. Naakte mensen zien er grappig uit in het echt, buiten een tijdschrift.

De zaterdagavond van Ren Fayre is vol leven en vermaak. De zon gaat onder over de campus en kort na het duister wordt er vuurwerk afgeschoten boven de tennisbanen. Studenten gaan op een heuvel liggen en lachen en wijzen met wazige, gefascineerde blikken omhoog. Het hoogtepunt van de avond is een schemeropera die het amfitheater vol doet stromen met studenten en vrienden. De opera is bedacht om de trips te versterken. De acteurs zijn in het zwart gekleed en dragen kleurrijke marionetten en gesneden figuren die tot leven komen in het blacklight. Iedereen zegt oe en ah.

Het feest gaat door tot zonsopgang, dus ondanks dat het al laat was, gingen we het biechthokje inwijden. We staken tuinfakkels aan en zetten ze buiten het hokje in de grond. Tony en Iven zeiden dat ik eerst moest, wat ik niet wilde, maar ik hield me groot en ging het hokje binnen. Ik ging op een emmer zitten en keek naar het plafond en naar de rook van mijn pijp die zich als geesten in de donkere hoeken verspreidde. Ik kon het dansfeest in het studentencentrum aan de overkant van de campus horen. Ik stelde me alle coole dansers voor, de meisjes die zich in witte shirtjes in het blacklight bewogen. De jongens achter de draaitafel op de galerij. Het grote scherm met wervelende beelden en al die energie die uit de luidsprekers kwam, door de lichamen bonsde en iedereen op en neer en op en neer liet gaan. *Niemand gaat hier iets opbiechten*, dacht ik. *Wie wil stop-*

pen met dansen omdat hij zijn zonden wil belijden? En het drong tot me door dat dit een slecht idee was, dat dit niet Gods idee was. Niemand zou boos worden, maar er was ook niemand die het veel kon schelen.

Het geestelijk leven is totaal niet relevant, bleef ik maar denken. God, als Hij er al is, heeft totaal geen stem in deze plaats. Iedereen wil een gesprek over waarheid hebben, maar er is geen waarheid meer. De enige waarheid is dat wat cool is, wat op tv is, welke demonstratie zich in welke wijk afspeelt, en het onderwerp doet er niet toe; het doet er alleen toe wie er zal zijn en of er daarna een feest zal zijn en of we ons allemaal belangrijk kunnen voelen op dat feest. En temidden van alles zijn we als Mormonen op de fiets. Ik zat daar en vroeg me af of iets van dit alles waar was, of het geestelijk leven zelfs wel waar was. Je vraagt je nooit af of iets wel waar is totdat je het moet uitleggen aan een scepticus. Ik wilde het helemaal niet graag uitleggen. Ik wilde niet in dat hokje zijn of dat stomme monnikenpak dragen. Ik wilde naar het dansfeest. Iedereen daarbinnen was cool en wij waren alleen maar religieus.

Ik zou Tony bijna gaan zeggen dat ik niet mee wilde doen toen hij het gordijn opendeed en zei dat we onze eerste klant hadden.

'Hé, kerel.' Een stoere jongen ging met een glimlach op zijn gezicht op de stoel zitten. Hij zei dat mijn pijp lekker rook.

'Dank je,' zei ik. Ik vroeg hoe hij heette en hij zei dat hij Jake heette. Ik schudde zijn hand omdat ik werkelijk niet wist wat ik anders moest doen.

'Oké, en dit is? Moet ik je nu al de roddels die ik op Ren Fayre heb rondgestrooid vertellen?' zei Jake.

'Nee.'

'Oké, wat dan? Hoe werkt het spelletje?' vroeg hij.

'Het is niet echt een spelletje. Het is meer een biechtachtig iets.'

'Je wilt dat ik mijn zonden opbiecht?'

'Nee, dat is niet exact wat we willen.'

'Nou, wat dan? Vanwaar die monnikspij?'

'Nou, eh, wij zijn, eh, een groep christenen op de campus.'

'Oké. Rare plek voor christenen, maar ik luister.'

'Dank je,' zei ik tegen hem. Hij was erg geduldig en hoffelijk.

'Goed, nou, een groep daarvan, een paar daarvan waren aan het nadenken over de manier waarop christenen de mensheid zogezegd benadeeld hebben. Je weet wel, de kruistochten, dat soort dingen...'

'Nou, ik betwijfel of jij daar zelf wel bij betrokken was, kerel.'

'Nee, dat was ik niet,' zei ik tegen hem. 'Maar wij zijn volgelingen van Jezus. We geloven dat Hij God is en zo en Hij vertegenwoordigde bepaalde ideeën die wij niet zo heel goed hebben
vertegenwoordigd. Hij heeft ons gevraagd om Hem goed te verte-
genwoordigen, maar dat is soms heel erg moeilijk.'

'Oké,' zei Jake.

'Dus is er nu een groep op de campus die wil biechten tegen
jullie.'

'Je biecht tegen mij!' zei Jake met een lach.

'Ja. We biechten tegen jullie. Ik bedoel, ik biecht tegen jou.'

'Je meent het.' Zijn lach veranderde in iets wat op een serieus
gezicht leek.

Ik zei dat ik het meende. Hij keek me aan en zei dat ik dat niet
hoefde te doen. Ik zei dat ik dat wel moest doen en op dat moment
voelde ik heel sterk dat ik Jake moest vertellen dat alles me speet.

'Wat ga je opbiechten?' vroeg hij.

Ik schudde mijn hoofd en keek naar de grond. 'Alles,' zei ik.

'Leg uit,' zei hij.

'Er is heel veel. Ik zal het kort houden,' begon ik. 'Jezus zei dat
we armen moesten voeden en zieken moesten genezen. Daar heb
ik nooit veel mee gedaan. Jezus zei dat we moesten houden van
degenen die ons vervolgen. Ik heb de neiging om van me af te slaan,
vooral als ik me bedreigd voel, je weet wel, als mijn ego in het ge-
drang komt. Jezus mengde zijn spiritualiteit niet met politiek. Ik heb
niet anders gedaan. Ik stond de centrale boodschap van Christus in
de weg. Ik wist dat dat verkeerd was en ik weet dat veel mensen niet

naar de woorden van Christus willen luisteren omdat mensen zoals ik, die Hem kennen, hun eigen agenda's meenemen in het gesprek in plaats van de boodschap van Christus gewoon door te geven. Maar er is nog veel meer.'

'Het is al goed, kerel,' zei Jake heel vriendelijk. Zijn ogen begonnen vochtig te worden.

'Goed,' zei ik en ik schraapte mijn keel, 'het spijt me allemaal.'

'Ik vergeef het je,' zei Jake. En hij meende het.

'Dank je,' zei ik tegen hem.

Hij zat daar, keek naar de grond en toen in het licht van een kaars. 'Het is echt heel cool wat jullie doen,' zei hij. 'Dit moeten heel veel mensen horen.'

'Hebben we veel mensen pijn gedaan?' vroeg ik aan hem.

'Je hebt mij geen pijn gedaan. Ik denk dat het gewoon niet heel populair is om een christen te zijn. Vooral niet op een plaats als dit. Ik denk niet dat jullie veel mensen pijn hebben gedaan. De meeste mensen hebben gewoon een sterke reactie op wat ze op tv zien. Allemaal goedgeklede predikers die de Republikeinen aanhangen.'

'Dat is niet het totale plaatje,' zei ik. 'Dat is alleen maar tv. Ik heb vrienden die hun leven geven om de armen te voeden en de weerlozen te verdedigen. Ze doen het voor Christus.'

'Jij gelooft echt in Jezus, hè?' vroeg hij aan mij.

'Ja, ik denk het wel. Meestal wel. Soms twijfel ik, maar meestal geloof ik in Hem. Het is alsof er iets in mij is dat ervoor zorgt dat ik geloof en ik kan niet uitleggen wat.'

'Je zei eerder dat er zoiets is als een centrale boodschap van Christus. Ik wil nou niet direct christen worden, maar wat is die boodschap?'

'De boodschap is dat de mens tegen God gezondigd heeft en dat God de wereld aan de mensen heeft overgegeven. En als iemand daarvan gered wil worden, als iemand het bijvoorbeeld allemaal heel leeg vindt, dat Christus hem dan wil redden als hij dat wil; dat als ze vergeving vragen voor hun aandeel in de opstand God hen wil vergeven.'

'En hoe zit het met dat kruis?' vroeg Jake.

'God zegt dat het loon van de zonde de dood is,' vertelde ik hem. 'En Jezus stierf zodat geen van ons hoefde te sterven. Als we dat geloven zijn we christen.'

'Dragen mensen daarom kruisjes?' vroeg hij.

'Ik denk het. Het is denk ik modern. Sommige mensen geloven dat het een soort mystieke macht heeft als ze een kruisje om hun nek dragen of als tatoeage hebben.'

'Geloof jij dat?' vroeg Jake.

'Nee,' antwoordde ik. Ik vertelde hem dat ik geloofde dat mystieke macht kwam door het geloof in Jezus.

'Wat geloof jij van God?' vroeg ik aan hem.

'Ik weet het niet. Ik denk dat ik een hele tijd niet heb geloofd. Wetenschappelijk gezien is het zo oppervlakkig. Maar ik denk wel dat ik in God geloof. Ik geloof dat er iemand verantwoordelijk is voor dit alles, deze wereld waarin we leven. Het is allemaal heel verwarrend.'

'Jake, als je God wilt leren kennen, kan dat. Ik wil gewoon zeggen, als je Jezus ooit aan wilt roepen, zal Hij daar zijn.'

'Bedankt, kerel. Ik geloof dat je het echt meent.' Zijn ogen werden weer vochtig. 'Het is echt cool wat jullie doen,' zei hij opnieuw. 'Ik ga mijn vrienden hierover vertellen.'

'Ik weet niet of ik je daar dankbaar voor moet zijn of niet,' lachte ik. 'Ik moet hier maar zitten en al mijn zooi opbiechten.'

Hij keek me heel serieus aan. 'Het is het waard,' zei hij. Hij gaf me een hand en toen hij het hokje uitging stond er al iemand anders klaar om naar binnen te gaan. Zo ging het een paar uur door. Ik praatte met ongeveer dertig mensen en Tony nam de biecht op bij een picknicktafel buiten het hokje. Veel mensen wilden ons een knuffel geven als het klaar was. Alle mensen die het hokje bezochten waren dankbaar en hoffelijk. Ik werd veranderd door het proces. Ik ging er naar binnen met twijfels en kwam weer naar buiten met een geloof in Jezus dat zo sterk was dat ik er klaar voor was om te sterven en met Hem te zijn. Ik denk dat die avond het begin was van een verandering voor velen van ons.

Iven bracht een groep naar een plaatselijke daklozenopvang om de armen te voeden en vaak moest hij studenten wegsturen omdat er niet meer dan twintig mensen in het busje pasten. We organiseerden een evenement dat we Armoededag noemden. We vroegen studenten om die week van minder dan drie dollar per dag te leven om solidair te zijn met de armen. Meer dan honderd studenten deden mee. Penny sprak in Vollum Lounge over het onderwerp armoede in India en meer dan vijfenzeventig studenten kwamen daar. Vóór dit alles bracht ons grootste evenement slechts tien mensen op de been. We organiseerden een avond waarop we studenten vroegen om hun vijandigheid tegen christenen uit te spreken. We beantwoordden vragen over wat we geloofden en verklaarden onze liefde voor mensen, voor de behoeftigen, en opnieuw verontschuldigden we ons voor onze misstanden tegen de mensheid en vroegen vergeving aan de gemeenschap van Reed. We genoten van nieuwe vriendschappen die we kregen, en hadden op een gegeven moment op de campus vier verschillende bijbelstudies speciaal voor mensen die zichzelf niet als christen beschouwden. We zagen hoe veel studenten met andere ogen naar Christus gingen kijken. Maar wij christenen voelden voornamelijk dat we op goede voet stonden met de mensen om ons heen. We voelden ons vooral vergeven en dankbaar.

De nacht van de biecht liep ik 's nachts rond een uur of twee, drie met mijn monnikspij onder mijn arm de campus af. Toen ik bij de grote eikenbomen op het grasveld aan de rand kwam, draaide ik me om en keek naar de campus. Het zag er allemaal zo wijs en oud uit en ik kon de lichten van het studentencentrum zien en ik kon de muziek horen dreunen. Er waren lui die vreeën op het gras en achter elkaar aanzaten op de wandelpaden. Er werd gelachen, gedanst en overgegeven.

Ik voelde heel sterk dat Jezus relevant was op deze plek. Ik voelde heel sterk dat als Hij hier niet relevant was Hij dat nergens was. Ik voelde me daar erg vredig en erg nuchter. Ik voelde me sterk verbonden met God omdat ik zo veel aan zoveel mensen had opgebiecht en mijn hart gelucht had en vergeven was door de mensen die ik tekort had gedaan door mijn onverschilligheid en bevooroordeeldheid. Ik wilde daar een tijdje gaan zitten, maar het was koud en het gras was vochtig. Ik ging naar huis en viel op de bank in slaap. De volgende ochtend zette ik koffie en zat op de veranda van Graceland en vroeg me af of de dingen die de afgelopen nacht gebeurd waren echt gebeurd waren. Ik was voor de dag gekomen. Een christen. Vele jaren eerder had ik het goedgemaakt met God, maar nu had ik het goedgemaakt met de wereld. Ik was iemand die zijn geloof wilde delen. Ik voelde me soort van cool, soort van anders. Het was een hele opluchting.

12

Kerk

Hoe ik het er uithoud zonder kwaad te worden

Ik moet even zeggen dat ik een onafhankelijk persoon ben. Ik houd niet van institutionele dingen. Ik houd niet van corporaties. Ik zeg niet dat instituten of corporaties fout of slecht zijn; ik zeg alleen dat ik er niet van houd. Sommige mensen houden niet van klassieke muziek, andere houden niet van pizza en ik houd niet van instituten. Mijn afkeer kan van een aantal dingen komen, van het onpersoonlijke gevoel dat ik krijg als ik een kantoor van een groot bedrijf binnenloop of de computer die ik aan de lijn krijg als ik mijn bank bel. Het kan komen door de ongeïnteresseerde uitdrukking op het gezicht van snackbarmedewerkers of de telefoontjes die altijd onder het eten komen en waarin wordt gevraagd van welk vervoersbedrijf ik gebruik maak. Zulke mensen willen nooit zomaar praten; ze hebben altijd een bedoeling.

Maar mijn afkeer van instituten is hoofdzakelijk een gevoel, niet iets wat ik kan verklaren. Instituten hebben natuurlijk ook voordelen. Traditie, bijvoorbeeld. De gangen in Harvard, rijk met geschiedenis, vol gedachten, de beschikbaarheid van goede, warme Starbucks koffie op zo'n dertig locaties binnen acht kilometer van mijn huis. En wat dacht je van al die banen? Waar zouden al die mensen werken als er geen grote ondernemingen bestonden? Ik denk dat we ze nodig hebben. De instituten. De corporaties. Maar meestal houd ik er niet van. Ik hoef er ook niet van te houden. Dat is mijn goed recht.

Om dezelfde reden houd ik ook niet van de kerk. Eigenlijk moet ik zeggen dat ik niet van de kerk hield. Ik houd ervan om zo af en toe een katholieke dienst bij te wonen, maar dat is omdat het anders voelt. Ik ben opgevoed als baptist. Ik houd er van om af en toe naar religieuze televisieprogramma's te kijken. Het is beter dan Comedy Central. Ik wil psychologie studeren zodat ik naar religieuze tv kan kijken en de problemen van die mensen kan oplossen. Evangelisten op televisie hebben mij een tijdje erg gefascineerd. Ik kon mezelf geen televisiebediening veroorloven maar ik had een computer, dus ging ik naar christelijke chatrooms en probeerde mensen te genezen. Eerst was het wel grappig, maar het werd saai.

Sommige van mijn vrienden hebben hun kerk verlaten en zijn Grieks orthodox geworden. Dat vind ik cool klinken. Grieks orthodox. Tenzij je een Griek bent. Dan klinkt het alsof dat hetgene is waar je naartoe zou moeten, alsof je een conformist bent. Als ik Grieks zou zijn, zou ik nooit naar een Grieks orthodoxe kerk gaan. Als ik Grieks zou zijn, zou ik naar een baptistenkerk gaan. Daar zou iedereen me exotisch en cool vinden.

o   o   o

Ik ga nu naar een kerk waar ik van houd. Ik had nooit gedacht dat ik zoiets over een kerk zou zeggen. Ik had nooit gedacht dat ik van een kerk kon houden. Maar van deze houd ik echt. Hij heet Imago-Dei, wat 'Beeld van God' betekent in het Latijn. Latijn is exotisch en cool.

In de kerken waar ik voorheen kwam, had ik het gevoel dat ik er niet in paste. Ik voelde me altijd het geadopteerde kind, alsof er 'plaats voor mij was aan de tafel.' Snap je wat ik bedoel? Ik werd geaccepteerd maar niet begrepen. Er was een plaatsje voor mij aan tafel, maar ik hoorde niet bij het gezin.

Kerk

Het haalt niets uit om kerken zwart te maken, dus zal ik geen generaliserende opmerkingen maken over de kerk als geheel. Ik ben maar in een paar kerken betrokken geweest, maar overal ervoer ik dezelfde spanning; dat is de enige reden dat ik het naar voren breng.

o   o   o

Dit zijn de dingen die ik niet leuk vond aan de kerken waar ik naartoe ging. Allereerst: Ik had het gevoel dat de mensen me Jezus aan probeerden te smeren. Ik ben een tijdje verkoper geweest en er werd ons geleerd dat we alle voordelen van het product moesten noemen tijdens het verkopen. Zo'n gevoel kreeg ik bij sommige van de predikers die ik heb horen spreken. Ze wezen altijd op de voordelen van het christelijk geloof. Dat viel bij mij niet goed. Het is niet dat er geen voordelen zijn, die zijn er wel, maar ze praatten over spiritualiteit alsof het een stofzuiger was. Het sprak me nooit aan dat Jezus een product is. Ik wilde dat Hij een persoon was. En niet alleen dat, maar ze zeiden ook altijd hoe geweldig hun specifieke kerk wel niet was. Het informatieboekje leek op een brochure van een of ander salesbedrijf. Ze zeiden altijd hoe levensveranderend een bepaalde conferentie zou gaan zijn. Levensveranderend? Wat betekent dat? Het klonk nogal verdacht. Ik wilde dat ze het me maar gewoon recht voor mijn raap vertelden in plaats dat ze me iets probeerden te verkopen. Ik kreeg het gevoel dat ik doordeweeks gebombardeerd werd met reclamespotjes en dat ik er zondags in de kerk nog meer bij kreeg.

Een ander iets met betrekking tot de kerken waar ik heen ging: Ze leken allemaal napraters van de republikeinse partij te zijn. Moeten we echt bij elk probleem met de partij op de proppen komen? Zijn de republikeinen soms volmaakt? Het voelde alsof ik moest denken dat George W. Bush Jezus was, puur om bij de familie te kunnen horen. En dat dacht ik niet. Ik dacht niet dat Jezus het echt eens kon zijn met het hele beleid van de republikeinse partij of voor mijn part de democratische partij. Ik had het idee dat Jezus een religieus figuur was, niet een politiek figuur. Toen er maar een paar mensen in de buurt waren, hoorde ik mijn predikant eens zeggen dat hij een hekel had aan Bill Clinton. Ik kan me voorstellen dat het beleid van Clinton je niet aanstaat, maar ik wil dat mijn spiritualiteit me verlost van haat en het niet juist aanwakkert. Hier kon ik niet mee overweg. Het was een van de hoofdredenen dat ik wegliep. Het voelde alsof ik ten prooi viel aan de Republikeinen als ik naar deze specifieke kerk ging. En ondertussen gaven de Republikeinen helemaal niets om Christus en zijn zaken.

Nog een ding waar ik me aan stoorde en dan houd ik erover op. Oorlogsidioom. De kerken waar ik heen ging waren gek op oorlogsidioom. Ze praatten erover dat we in een strijd waren verwikkeld, en dat was ik met hen eens, alleen vertelden ze niet dat we vochten tegen armoede en haat en onrecht en trots en de machten van de duisternis. Ze deden net alsof we in oorlog waren met de liberalen en homoseksuelen. Hun onderwijs wilde me doen geloven dat ik de goede persoon in deze wereld was en dat de liberalen de slechte personen in deze wereld waren. Jezus leerde ons dat we allemaal slecht zijn en dat Hij goed is, en Hij wil ons redden omdat er een oorlog is en wij gijzelaars in die oorlog zijn. De waarheid is dat wij de hippies, de liberalen en zelfs de democraten moeten liefhebben en dat God wil dat we hen belangrijker achten dan onszelf. Alles wat minder is dan dat, doet het onderwijs van Jezus tekort.

o   o   o

En zo sprak ik op zondagavond voor zo'n vijftig mensen in een kerk in een van de voorsteden, terwijl ik vanbinnen een diep verlangen had. Ik bezocht zelfs de hoofddienst niet meer. De predikant die verantwoordelijk was voor de studentengroep vroeg me waarom ik niet meer in de kerk kwam. Hij was erg vriendelijk en sympathiek en zei dat hij me daar miste.

Tony de Rapper zegt dat ik niet goed ben in diplomatie. Hij zegt dat ik mijn verstand teveel laat spreken en dat ik moet nadenken over de onderverdeling van mijn woorden. Ik kan echt een zak zijn zonder dat ik het zelf door heb. Ik vertelde die man dat ik het moeilijk vond om naar de kerk te gaan zonder kwaad te worden en ik denk dat hij dat persoonlijk opvatte. Ik probeerde uit te leggen hoe ik me voelde, maar ik sprak een andere taal. Ik voelde me ook stom, alsof ik een of andere idioot was die iedereen naar mijn hand wilde zetten, zodat ze mijn ideeën over wie Jezus is en was en hoe Hij wil dat wij leven overnamen.

Rond die tijd begon ik God te vragen me te helpen een kerk te vinden waar ik zou passen.

Ik had een vriend uit Seattle, genaamd Mark, die de predikant was van een behoorlijk leuke kerk dichtbij de universiteit van Washington. Er kwamen veel artiesten in zijn kerk en veel hippies en yuppen en mensen die naar de seculiere radio luisterden. Ik ging een keer bij hem op bezoek en hield van de gemeenschap die hij bij elkaar had gebracht. Voor het eerst in jaren had ik het gevoel dat ik kon ademen. Het bezoek aan Marks kerk in Seattle hielp me te beseffen dat ik niet alleen op de wereld was. Ik vertelde mijn vrienden over zijn kerk, mijn vrienden in de kerk waar ik naartoe ging, maar ze snapten het niet.

Mark had verschillende artikelen voor seculiere tijdschriften geschreven en was een paar keer geïnterviewd op de radio en had de reputatie van een predikant die krachttermen gebruikt. Het is waar dat Mark een hoop krachttermen gebruikte. Ik weet niet waarom hij dat deed. Hij werd pas christen toen hij al studeerde, dus misschien wist hij niet dat je geen krachttermen mag gebruiken als je predikant bent. Ik denk dat sommige vrienden van mij geloofden dat het het doel van de duivel was om mensen krachttermen te laten gebruiken, dus dachten ze dat Mark bezeten was of iets dergelijks, en ze zeiden tegen mij dat ik nergens bij betrokken moest raken wij hij deel van uitmaakte. Vanwege de krachttermen. Maar zoals ik al zei, ik had een diep verlangen vanbinnen, en ook al gebruikte Mark krachttermen, hij vertelde een hoop mensen over Jezus en hij was sociaal actief en hij leek van veel mensen te houden die de kerk negeerde, zoals liberalen en gezondheidsfanaten. In de periode dat ik God bad om me te helpen een kerk te vinden, kreeg ik een telefoontje van Mark, de Vloekende Predikant, en hij zei dat hij een goede vriend had die naar Portland ging om daar een kerk te beginnen en dat ik me bij hem aan moest sluiten.

Rick en ik gingen samen koffiedrinken en ik vond hem ontzettend grappig. Hij was groot, een rugbyspeler uit Chico State. In die tijd pruimden we allebei tabak, dus dat hadden we gemeen. Hij kon een fantastische Tony Soprano stem opzetten, een soort maffiastem. Hij gebruikte hem wanneer hij deed alsof hij een maffiabaas was die een kerk wilde planten. Hij zei een paar krachttermen, maar niet zo erg als Mark. Rick zei dat er een paar mensen in zijn huis bij elkaar zouden komen om te praten over de mogelijkheden om in Portland een kerk te beginnen en hij nodigde mij uit om ook te komen. Ik voelde dat God mijn gebed aan het verhoren was, dus ik ging. We waren maar met zijn achten, voornamelijk jongeren, voornamelijk tieners die net van de middelbare school kwamen. Ik had eerlijk gezegd het gevoel dat ik bij een jeugdgroep zat. Ik dacht niet dat het van de grond zou komen. Ricks vrouw zette koffie voor ons en we hingen een beetje in zijn woonkamer. Rick las ons wat statistische gegevens voor over hoeveel kerken uit de stad naar de voorsteden waren vertrokken en zei hoe graag hij wilde dat we een kerk in de stad plantten. Rick wilde het beeld van mensen die misvattingen over de kerk hadden veranderen.

Al snel waren we met zijn twintigen, kregen we een kapelletje bij een universiteit dichtbij het centrum en begonnen kerkdiensten te houden. Het voelde heel grappig om in de kerk te zijn, omdat we maar met zijn twintigen waren en omdat het merendeel tieners waren, maar ik geloofde nog steeds dat dit de manier was waarop God mijn gebed ging verhoren.

Eerlijk gezegd groeiden we niet erg. We bleven steken op een aantal van dertig of zo, allemaal christenen die vanuit andere kerken naar Imago waren gekomen. Ik weet dat aantallen er niet zozeer toe moeten doen, maar om eerlijk te zijn wilde ik eigenlijk wel dat Imago groeide om aan mijn vrienden in mijn oude kerk te laten zien dat we succes boekten; maar we groeiden niet, we bleven met dertig man.

We kwamen samen op zondagavond en dan weer op woensdagavond om te bidden. Op de bidstond kwamen beduidend minder mensen. We waren maar met zijn tienen en het was behoorlijk saai. Het voelde als een geflopte bijeenkomst van Anonieme Alcoholisten. We zaten daar en praatten over de zooi in ons leven en dan baden we eventjes en gingen naar huis. Op een avond kwam Rick opdagen met een soort van verslagen blik op zijn gezicht. Hij was bij een bijeenkomst van predikanten geweest waar iemand had gesproken over het feit dat de kerk de link met mensen die Jezus niet kennen kwijt was geraakt. Rick zei dat hij hier echt van overtuigd was en vroeg ons of wij ook dachten dat we berouw moesten tonen en een begin moesten maken met het liefhebben van mensen die heel anders zijn dan wij. We zeiden allemaal ja, maar ik denk niet dat iemand van ons wist wat dat betekende. Rick zei dat het betekende dat we missionair moesten leven, dat we met opzet vriendschap moesten sluiten met mensen die anders zijn dan wij. Eerlijk gezegd stond me dat niet bepaald aan. Ik wilde niet bevriend worden met iemand om hem over te halen naar mijn kerk te komen. Rick zei dat hij dat niet bedoelde. Hij zei dat hij het had over het liefhebben van mensen, gewoon omdat ze bestaan – daklozen, gothics, homo's en gezondheidsfreaks. En toen stond het me wel aan. Ik vond het een goed idee om gewoon van mensen te houden om van ze te houden, niet om ze naar de kerk te slepen. Als het onderwerp kerk ter sprake kwam, kon ik ze over Imago vertellen, maar tot die tijd was het onbelangrijk. Dus begonnen we iedere week te bidden dat God ons zou leren hoe we een missionair leven moesten leiden, om mensen die liefde nodig hadden op te merken.

Sindsdien begonnen er veel mensen naar de kerk te komen. Ik weet eerlijk gezegd niet waarom, behalve dat we er allemaal mee ingestemd hadden dat we van mensen zouden houden en dat we vriendelijk tegen hen zouden zijn en zouden luisteren en vriendschap zouden sluiten. Omdat we zo groeiden moesten we naar een ander gebouw verhuizen en daarna weer en toen nog een keer, totdat we een grote, superoude, mooie kerk met glas-in-loodramen en een koepeldak gingen huren. Kort nadat we daar naartoe waren verhuisd, moesten we naar twee diensten gaan. Dit gebeurde allemaal in een tijdsbestek van een paar jaar en nu komen er ongeveer vijfhonderd mensen in Imago en veel van hen zien eruit als rocksterren, maar ze zijn allemaal briljant en geestelijk. Ik houd zoveel van de gemeente dat het moeilijk is om te beschrijven. Ik heb nog nooit in mijn leven zo'n familiegevoel gehad. Ik had het gevoel dat ik niets had in termen van gemeenschap en God richtte een gemeente op vanaf de grond, uit het niets, alsof het een goocheltruc was.

Zoals ik al eerder zei, ik had nooit gedacht dat ik van de kerk zou gaan houden. Maar ik zal uitleggen waarom ik zo van Imago-Dei houd.

Ten eerste: Imago is geestelijk. Ik bedoel dat de mensen in Imago bidden en vasten voor dingen. Het duurde even voordat ik begreep dat het antwoord op problemen niet marketing of een programma was, maar geestelijkheid. Als we de jeugd wilden bereiken, moesten we geen pizza-avond met games organiseren, we moesten bij elkaar komen en bidden en vasten en God vragen wat we moesten doen. God leidde wat lui in het opstarten van een daklozenopvang in het centrum en ze voorzien nu wekelijks honderd dakloze tieners van voedsel. Het is de idiootste jeugdgroep die je ooit tegen zult komen, maar ze doen wat God hen heeft opgedragen. Ik houd van zulk soort dingen, want in plaats dat de kerk zichzelf bedient, is ze de verlorenen en de eenzamen tot dienst. Als ik erover nadenk krijg ik kippenvel, zo mooi is het.

Ten tweede: kunst. Imago stimuleert kunst. Rick is nou niet bepaald een kunstenaar, maar hij heeft die dingen overgedragen aan iemand die Peter Jenkins heet en die ook de tekeningen voor dit boek heeft gemaakt. Peter heeft een 'kunstenarij' in het leven geroepen waar kunstenaars wonen, kunst maken, kunst onderwijzen en mensen aanmoedigen om creatief te zijn. Peter heeft pas een expositie geopend in een lokaal koffiehuis en alle kunstwerken zijn gemaakt door mensen die naar Imago gaan. Kunstenaars voelen zich thuis bij Imago. Ik heb zelf een verhalenworkshop gehouden waar we verhalen schreven en die verhalen lazen we voor in de kunstenarij met kerstlichtjes en kaarsen. Ik denk dat veel artiesten naar een kerk gaan waar ze geen uitingsmogelijkheid hebben. Door een uitingsmogelijkheid te creëren, geeft de kerk artiesten een kans om zichzelf uit te drukken en krijgt ze er gratis werken voor aan de muur voor terug. Het is een geweldig idee om een kunstgroep op te zetten in een kerk.

Ten derde: Gemeenschap. Rick neemt het erg serieus dat mensen samen wonen, eten en spelen. Hij moedigt jonge alleenstaande mensen aan om een huis te zoeken en bij elkaar te gaan wonen. Rick houdt er niet van als mensen eenzaam zijn. We hebben huiskringen over de hele stad verspreid en we beschouwen dit als het hart van onze kerk. In de meeste kerken waar ik ben geweest blijkt dit een geweldig systeem te zijn.

Ten vierde: Echtheid. Ik weet dat het een beetje een modewoord is, maar in Imago wordt dit echt uitgeleefd. Ik sta regelmatig op de preekstoel in Imago en ik voel me helemaal op mijn gemak terwijl ik alles zeg wat ik wil. Ik hoef me niet vroom voor te doen om de mensen te laten luisteren. Echtheid staat bij Imago erg hoog in het vaandel. Ik vind dat fantastisch want als ik oprecht ben, sta ik mensen toe om mijn echte ik te leren kennen en het voelt stukken beter dat mensen van mijn echte ik houden dan van de ik die ik verzonnen heb.

o   o   o

Een van de dingen die ik moest doen nadat God in een kerk voor mij had voorzien was het afzweren van iedere verkeerde houding die ik had ten opzichte van de kerken waar ik eerder heenging. Uiteindelijk was ik gewoon anders. Het was niet zo dat zij slecht waren, ze voldeden gewoon niet voor mij. Op één avond las ik vier keer het boek Efeziërs en het leek alsof Paulus niet wilde dat christenen onderling ruziën. Hij leek er zich nogal druk om te maken dus liet ik mijn verstand tegen mijn hart zeggen dat het van de mensen in de kerken waar ik heenging moest houden, de mensen die anders waren dan ik. Dit was enorm bevrijdend omdat mijn hart het ook deed toen ik haar dat had opgedragen en nu ben ik dol op die idiote republikeinse fundamentalisten en ik weet dat ze ook van mij houden. Ik weet dat we samen zullen eten, we zullen samen het brood breken in de hemel en we zullen met zo'n pure liefde van elkaar houden omdat we in Christus een gezin zijn.

Hier volgt een formule die je stapje voor stapje moet volgen om naar de kerk te gaan zonder kwaad te worden:

- Bid dat God je een kerk zal laten zien met mensen die jouw interesses en waarden delen.
- Ga naar de kerk die God je aanwijst.
- Koester geen wrok tegen andere kerken. God houdt evenveel van deze kerken als dat Hij van de jouwe houdt.

13

Romantiek

Met meisjes uitgaan is gemakkelijk

Mijn vriend Kurt zei altijd dat het vinden van een vrouw een kansspel is. Hij zei dat je twee of drie relaties tegelijk moest hebben en dat je het ene meisje niet van het bestaan van de anderen moest laten weten en altijd bereid moest zijn om er weer een eind aan te maken. Een van hen zal eruit springen en als je er een kwijtraakt, neem er dan een ander bij. Kurt geloofde dat je met ongeveer twintig meisjes iets moest hebben gehad voor je degene trof met wie je ging trouwen. Hij geloofde simpelweg dat het gemakkelijker was om met meerdere meisjes tegelijk verkering te hebben. Kurt trouwde uiteindelijk met een meisje uit Dallas en iedereen zegt dat hij met haar getrouwd is om het geld. Hij is heel gelukkig.

Mijn vriend Josh stond op een ander punt in de zoektocht. Toen ik pas naar Oregon was verhuisd, was ik bevriend met die levendige jongen die veel in de Bijbel las. Josh zag er goed uit en was geobsedeerd door verkering, afspraakjes, filosofieën achter afspraakjes, sociale rituelen en dat soort dingen. Hij had thuisonderwijs gehad en was opgegroeid met het idee dat het traditionele met elkaar daten een slecht iets was. Ik heb met hem het land doorgereisd en hem geïntroduceerd op seminars die hij gaf over de valkuilen van het daten. Hij schreef er een boek over en het werd een bestseller. Zonder gein. Hij verhuisde een paar jaar daarna naar Baltimore en trouwde. Hij en zijn vrouw zijn ook erg gelukkig.

Mijn vriend Mike Tucker leest boeken over daten en weet veel van het onderwerp af. Hij zegt dingen als: 'Weet je, Don, relaties zijn als rubberen banden... Als de ene persoon zich terugtrekt, wordt de ander aangetrokken en als de andere persoon zich terugtrekt wordt de een ertoe aangetrokken.' Zulk soort dingen klinken interessant voor mij, een vent die niets van verkering afweet. Van dat belachelijk kleine beetje dat ik er vanaf weet zou nog geen konijn zich voortplanten. Ik weet dat je een meisje niet uitlacht tijdens een afspraakje en dat je geen spaghetti moet eten. En daar houdt het wel zo'n beetje mee op.

Hier volgt een tip die ik zelf nog nooit gebruikt heb: Ik heb begrepen dat je een hoop over meisjes kunt leren door *Pride and Prejudice* te lezen. Ik heb er een exemplaar van, maar heb het nog nooit gelezen. Ik heb het geprobeerd. Ik kreeg het van een meisje met een korte aantekening erin: *Wat in dit boek staat is het hart van een vrouw.* Ik weet zeker dat het hart van een vrouw puur en lieflijk is, maar het eerste hoofdstuk van dat hart is hopeloos saai. Er gaat helemaal niemand dood. Ik laat het boek op mijn boekenplank staan omdat er weleens meisjes in mijn kamer komen. Ze gaan dan op mijn bank zitten en bekijken de boeken op de boekenplank er tegenover. Je hebt *Pride and Prejudice*, roepen ze uit met een zachte zucht en een glimlach. Ja, zeg ik. Ja, dat klopt.

o   o   o

Nog niet zo lang geleden ging ik met mijn Canadese vriendin Julie naar Yosemite. Ik heb een zwak voor Canadese meisjes. Ik weet niet waarom, maar als een Canadees meisje me iets met haar Canadese accent vraagt, slaat mijn hart op hol. Zo was ik een tijdje stiekem verliefd op Julie, maar ze hield van jongens die surfen en skateboarden en met snowboards uit vliegtuigen springen. Ik voldoe niet bepaald aan die omschrijving. Ik lees boeken van dode mannen. Dat is mijn identiteit. Bovendien, toen Julie en ik elkaar ontmoetten, had ik een relatie met een schattige schrijfster uit het zuiden en was Julie weer eens verliefd op een jongen die kon skateboarden en gitaarspelen. Dat met die schrijfster is niet wat geworden, omdat we geen zielsverwanten werden, ook al hadden we alles met elkaar gemeen. Zo gebeurde het dat ik in San Francisco sprak en Julie door California reisde en toevallig in een jeugdhotel in de stad was toen ik daar ook was.

Ik haalde haar op en later reden we samen door de Sierra Nevadas. Ik was zenuwachtig omdat ze nog mooier was dan ik me herinnerde. We kletsten wat over wat we in een partner zochten, wat we van het huwelijk verwachtten, dat soort dingen. Ik wilde steeds zeggen: Nou, ik wil een lang, Canadees meisje dat zingt en gitaar speelt en dat niet Alanis Morisette heet. Maar dat kon ik niet zeggen omdat Julie me dan door zou hebben. Dus zei ik tegen haar dat ik een meisje wilde dat een goede moeder zou zijn, een meisje dat goed was in bed. Ik noemde alle clichés op, de clichés die al eeuwenlang gelden. Maar toen trok ik mijn grote waffel open en zei dat ik eerlijk gezegd dacht dat echte, ware liefde niet bestond. Ik voelde me moe toen ik dat zei. Ik weet niet waarom ik het zei.

Ik bleef maar doorgaan. Ik zei haar dat liefde, of datgene wat wij liefde noemen, vooral teamwork is en dat het heel goed mogelijk zou zijn dat ik verliefd zou worden op een andere vrouw nadat ik een tijdje getrouwd zou zijn. Ik noemde ook dat mijn vrouw zich misschien aangetrokken zou voelen tot een andere man. Mensen verliezen hun aantrekkingskracht niet als ze naar het altaar schrijden, zei ik. En zo ging ik maar door, realistisch als ik was, en ik vermoed dat ik zulke stomme dingen zei omdat ik *Pride and Prejudice* niet had gelezen want ik kwam erachter dat deze ideeën niet de sleutels tot het hart van een vrouw bevatten. Julie geloofde wel dat ware liefde bestond en dat ze voor altijd van haar partner zou houden en hij van haar.

Julie vond mijn opvattingen verschrikkelijk. Ze zei dat zoiets haar nooit zou overkomen, dat haar echtgenoot vurig van haar zou houden en haar zou adoreren tot een van hen beide zou sterven. Ze wilde niet echt over mijn ideeën praten. Ik zat daar maar en voelde me stom. Dat gebeurt nogal eens.

De volgende dag, toen we op weg waren naar Santa Cruz, vertelde ik haar dat ik verliefd op haar was, wat superstom was omdat ik wist dat zij niet verliefd was op mij. Ik hoopte alleen dat dat zo was. Ik zei het heel idioot, heel schaapachtig. Ik mompelde maar wat en mijn hart ging als een razende tekeer. Julie reageerde heel vriendelijk, maar we lieten het als het ware overwaaien en deden alsof het nooit uitgesproken was. De rest van de tijd praatten we over koetjes en kalfjes en luisterden naar Patty Griffin, wat erg nuttig was omdat Patty Griffin me altijd erg troost.

Als je iemand leuk vindt, moet je het denk ik vertellen. Het is misschien gênant om te zeggen, maar je zult het nooit betreuren dat je er voor uit bent gekomen. Maar uit persoonlijke ervaring weet ik dat je niet tegen een meisje moet blijven zeggen dat je haar leuk vindt als zij heeft gezegd niets voor jou te voelen. Je moet ook niet op je motorfiets langs haar huis blijven rijden.

o   o   o

Ik wil niet direct trouwen. Ik denk dat het wel een tijdje zal duren voor ik een meisje hebben gevonden. Ik vind het fijn om single te zijn. Ik ben een van de weinigen die het leuk vindt. Ik wil met een meisje trouwen dat ervoor zorgt dat ik me alleen voel als ik bij haar ben. Ik bedoel eigenlijk, ik wil met een meisje trouwen bij wie ik me helemaal op mijn gemak voel en bij wie ik helemaal mezelf kan blijven. Ik kan soms heel onvolwassen en onhandig zijn en ik wil dat ook kunnen zijn als ik bij haar ben zonder dat ze wegloopt of zich opgelaten voelt.

Er zijn ongeveer vijftig mensen die tegen me hebben gezegd

dat ik bang ben voor intimiteit. En het is waar. Ik ben bang voor wat mensen van me vinden en dat is de reden dat ik niet vaak met meisjes afspreek. Mensen vinden me heel leuk als ze me maar een beetje kennen, maar ik ben heel bang dat ze me niet meer leuk zullen vinden als ze me beter kennen. Dat beangstigt me het meest van trouwen, omdat mijn vrouw me eerst heel goed zal moeten kennen voordat ze met me trouwt en ik denk dat ze me niet meer leuk vindt als ze me beter leert kennen.

Mijn beste vriend Paul trouwde met mijn vriendin Danielle. Mensen veranderen als ze trouwen, dat is echt waar. Danielle was een vurig feministe toen ze met Paul trouwde; nu is ze niet zo feministisch meer, in elk geval niet actief. Ze houdt heel veel van hem en hij van haar. Als ik er op bezoek ben zitten ze soms aan elkaars kont alsof ik er niet bij ben. Dat is echt gênant. Mensen zouden niet aan elkaars kont moeten zitten als ik erbij ben. Paul en Danielle zijn bijna zeven jaar getrouwd en hebben drie kinderen, drie meisjes. Ik was op hun bruiloft. Ik las een gedicht voor. Op de foto's zag ik er erg knap en mager uit. Paul zag eruit als Brad Pitt en Danielle, die echt superknap is, zag eruit als een bloem of een mooi schilderij.

Na de bruiloft woonden we een tijdje met elkaar in een enorm, oud huis aan Kearney Street in Portland. Het was het huis van Wes en Maja, Danielles tante en oom.

Het was een enorm huis en ik woonde op zolder. Paul en Danielle woonden in de hoofdruimte die groot genoeg was om een appartement van te maken. Paul kwam af en toe naar de zolder en dan klommen we via het raam op het dak om pijp te roken terwijl we over de stad keken.

'Hoe is het om getrouwd te zijn?' vroeg ik op een keer.

'Goed. Het is zwaar, maar het is goed.'

'Wat is er zo zwaar aan?' vroeg ik.

Paul is de enige persoon die ik ken die helemaal goed in zijn vel zit en die helemaal oprecht is in wat hij zegt. Hij is wat ze een oprecht persoon noemen. 'Weet je, Don, het huwelijk is een goede ruil.

Je verliest al je vrijheid, maar je krijgt een vriend. Een ongelofelijke vriend.'

Het verbaasde me toen hij dat zei. Het huwelijk beangstigt me juist om die reden zo: het verliezen van de vrijheid. Ik ben niet iemand die constant behoefte aan gezelschap heeft. Ik voel me niet vaak eenzaam. Ik woon in een gemeenschap omdat het gezond is, omdat mensen die te lang alleen wonen eerder gek worden, maar het idee van thuiskomen bij een vrouw, dag na dag, in hetzelfde huis wonen, samen in bad en naar bed gaan en roze en zijdeachtige spullen in huis hebben klinkt in mijn oren als een gevangenisdeur die dichtslaat. Ik zie mezelf al staan terwijl ik toekijk hoe ze in de badkamer haar make-up verwijdert en ik denk: *Ze gaat echt niet meer weg. Al haar spullen staan hier.*

Tony de Rapper zegt dat ik overdreven kieskeurig ben, dat ik nooit langer dan acht minuten verliefd ben geweest. Dat is echt niet waar. Ik ben gewoon vrij snel verliefd, zoiets als de bliksem, en dan gaan ze weg. Ze gaan meestal weg omdat ik bang ben om iets te doen. Ik ben bang voor afwijzing en ik ben bang dat ik er morgen anders over denk en ik heb geen geloof in het systeem dat God gemaakt heeft.

Penny zegt dat ik een verkeerd beeld van relaties heb omdat ik problemen met intimiteit heb, en als ik met Nadine over meisjes praat, kijkt ze me alleen maar aan met haar statige blik, terwijl ze instemmende geluiden maakt alsof ze een therapeut is. Dat is interessant, zegt ze dan. Erg interessant.

Ik weet dat ze allemaal denken dat ik egoïstisch ben. En dat ben ik ook. Ik wil een meisje, maar ik wil haar eens in de zoveel dagen, niet elke dag. Ik wil dat ze haar eigen huis heeft en alleen bij mij komt als ik zin heb om me te scheren.

'Het is niet wat jij denkt dat het is, Don.' Paul haalt zijn blik van de stad af en kijkt naar de pijp in zijn hand. Hij draait hem om, tikt de as op het dak en rolt met zijn gympen over de gloeiende restjes.

'Wat niet?'

'Het huwelijk.' Hij kijkt me recht aan. 'Het is niet bevredigend in de zin dat jij denkt.'

'Paul, zul je eerlijk zijn als ik je iets vraag?'

'Ja.'

'Ben je gelukkig?'

'Wat bedoel je met gelukkig?'

'Ben je blij dat je met Danielle getrouwd bent?'

Paul stopt de steel van zijn pijp weer in zijn mond.

'Ik ben gelukkig, Don. Ik ben heel gelukkig.'

'Wat bedoel je dan als je zegt dat het niet is wat ik denk dat het is?' Ik verwachtte dat hij het over seks zou gaan hebben.

'Nou, ik kan misschien niet zeggen wat jij over het huwelijk denkt. Misschien moet ik zeggen dat het niet is wat ik dacht dat het zou zijn. Ik dacht dat getrouwd zijn betekende dat je gekend was. En dat is het; het is gekend zijn. Maar Danielle kan me maar tot op zekere hoogte kennen; snap je wat ik bedoel?'

'Zijn er dingen die je haar niet hebt verteld?' vraag ik.

'Ik heb haar alles verteld.'

'Dan snap ik niet wat je bedoeld.'

Paul duwde zichzelf wat verder omhoog in de richting van de nok vanwaar je de skyline van Portland kunt zien. Ik volgde hem. 'We willen allemaal geliefd zijn, dat klopt toch?'

'Klopt.'

'En het enge aan relaties, aan intieme relaties, is dat als iemand ons leert kennen, ook datgene wat we meestal verbergen, hij of zij misschien niet van ons houdt; we worden misschien afgewezen.'

'Klopt,' zeg ik.

Paul ging verder. 'Ik bedoel dat er dingen zijn die ik haar niet kan vertellen. Niet omdat ik dat niet wil, maar omdat er geen woorden voor zijn. We zijn twee afzonderlijke mensen en we kunnen niet bij elkaar binnen komen en elkaars gedachten, elkaars wezen lezen. Het huwelijk is wonderbaarlijk omdat het twee mensen zo dicht bij elkaar brengt als mogelijk is, maar ze kunnen niet helemaal komen op die plek van absoluut kennen. Het huwelijk is het mooiste waar ik ooit van kon dromen, Don, maar het is niet alles. Het is niet Mekka. Danielle houdt van alles van mij; ze accepteert me en tolereert me en moedigt me aan. Ze kent me beter dan ieder ander in de wereld, maar ze kent me niet helemaal en ik ken haar ook niet helemaal. En ik heb nooit gedacht dat er nadat ik getrouwd zou zijn nog iets zou ontbreken. Ik heb altijd gedacht dat het huwelijk de ultieme vervulling zou zijn, helemaal toen ik Danielle voor het eerst ontmoette. Het is fantastisch, begrijp me niet verkeerd, en ik ben blij dat ik met Danielle ben getrouwd en dat ik voor altijd met haar samen zal zijn. Maar er zijn terreinen in ons leven waar alleen God kan komen.'

'Dus het huwelijk is niet zo goed als je zou verwachten?' vraag ik.

'Nee, het is juist zoveel meer dan ik ooit dacht dat het zou zijn. Een van de manieren waarop God laat zien dat Hij van me houdt is door Danielle, en een van de manieren waarop God Danielle laat zien dat Hij van haar houdt is door mij. En omdat ze van mij houdt en me leert dat ik het waard ben om van te houden, kan ik beter reageren op God.'

'Wat bedoel je?'

'Ik bedoel dat een relatie met God hebben betekent dat er puur en onstuimig van je gehouden wordt. En iemand die zichzelf niet de moeite waard vindt om van te houden, kan geen relatie met God hebben omdat hij niet kan accepteren wie God is; een Wezen dat liefde is. We leren van andere mensen dat we wel of niet de moeite waard zijn om van te houden,' zegt Paul. 'Daarom zegt God ons ook zo vaak dat we van elkaar moeten houden.'

Toen het donker werd gingen Paul en ik weer naar de zolder. We kletsten nog een uurtje voor hij naar beneden ging naar zijn vrouw, maar ik bleef nog even over die dingen nadenken. Ik deed het licht uit en lag in bed en dacht na over de meisjes met wie ik uit was geweest, de angst die ik heb voor trouwen en het ongelooflijke egoïsme van waaruit ik mijn bestaan bestuur.

o o o

Dat jaar werkte ik aan een toneelstuk dat *Polaroids* heette. Het was het verhaal van het leven van een man vanaf zijn geboorte tot aan zijn dood. Elke scène bestond uit een monoloog en steeds verschillende acteurs stonden stil te acteren achter de verteller die het publiek meenam op zijn levensreis. In de scène die ik een paar avonden daarvoor had geschreven, had de man ruzie met zijn vrouw. Ze leden onder ondraaglijke spanning na een jaar daarvoor hun zoon te hebben verloren bij een auto-ongeval. Diep in mijn hart wist ik dat ze het niet gingen redden, dat *Polaroids* een pijnlijke echtscheiding zou bevatten die het afschuwelijke van scheiden zou laten zien. Maar ik veranderde van gedachten. Na mijn gesprek met Paul kon ik dit niet meer doen. Ik vroeg me af hoe het eruit zou zien als het echtpaar er samen uit kwam. Ik stond op en zette mijn computer aan. Ik liet de hoofdpersoon van het stuk naar de slaapkamer waar zijn vrouw sliep lopen. Ik liet hem bij haar neerknielen en liet hem wat zinnen fluisteren:

Welke grote aantrekkingskracht trekt mijn ziel naar de jouwe toe? Welke grote kracht die ondanks dat ik fout zat, doorging, me mezelf liet vermommen om jouw liefde te verdienen, die ook vermomd was. Ik wilde je houden, dat je stilstond en bleef, jouw wil verpakt in de mijne. En langzaam kwam de waarheid aan het licht, de ruilhandel van mijn ziel, de ziel waar ik bang voor ben, de ziel die ik veracht, de ziel die zegt: als jij van mij houdt, houd ik van jou. Ik red jou als jij mij redt. Is dit ons doel, jij en ik samen om elkaar te kalmeren, om elkaar te leiden naar de leugen die zegt dat we goed en nobel zijn, dat we geen bevrijding nodig hebben behalve van ons eigen lichaam?
Ik ben niet bang voor jou, mijn liefste, ik ben bang voor mij.

PUUR

Ik ging kijken, ik maakte een lijst, ik tekende een plaatje, ik schiep een gedicht van jou. Je was knap en mijn vrienden geloofden dat ik je waard was. Je was slim, maar ik was slimmer, misschien wel de enige die slimmer was, de enige die in staat was om jou te leiden. Zie je, liefste, ik hield niet van jou, ik hield van mij. En jij was het enige instrument dat ik gebruikte om mezelf te vast te houden, om mezelf voor de gek te houden, om mezelf te bevrijden. En hoewel ik je geleerd heb om je leliehanden in de mijne te leggen, loop ik alleen, want ik kan niet met je praten zonder dat je terugpraat, zonder dat ik geloof dat ik het niet waard ben, het niet verdien, niet bevrijd ben.

Ik wil zo graag dat je mijn vriendin bent. Maar je bent mijn vriendin niet; je hebt je behaaglijk geschurkt tegen de man die ik wil zijn, de man die ik pretendeerde te zijn, en ik was jouw Jezus en jij de mijne. Als ik je laat zien wie ik ben, gaan we misschien ten onder. Ik ben niet bang voor jou, mijn liefste, ik ben bang voor mij.

Ik wil gekend en geliefd worden. Kun jij dat doen? Aan je ademhaling te horen ben je net zo menselijk als ik, ben je net zo gevallen als ik, ben je eenzaam, net als ik. Mijn liefste, ken ik jou? Welke grote aantrekkingskracht trekt ons zo pijnlijk naar elkaar toe? Waarom zijn we niet verbonden? Zullen we altijd bezig zijn met het uitwerken van dit? En hoe zullen we met woorden, slechts woorden, elkaar kunnen leren kennen? Is dit Gods manier van genade geven, van ons onderwijzen in het labyrint van zijn liefde voor ons? Leert Hij ons in etappes datgene wat Hij opoffert om onszelf aan Hem te verbinden? Of beter nog, heeft Hij ons zo gefragmenteerd gemaakt zodat er maar één hoop overblijft, zwoegend en zuchtend en ademend naar de ander toe met zo'n grote vaart dat we misschien door kunnen breken naar het bekende en geliefd worden, om slechts in een grotere verdoemenis terecht te komen en neer te vallen voor zijn troon terwijl we nog steeds smeken om geaccepteerd te worden? Smekend om onze voltooiing?

We waren dwaas om te geloven dat we elkaar konden bevrijden.

Was ik maar een slapende Adam, die wakker werd en jou naast zich aantrof om de dingen die God gedaan heeft te delen, je door de tuin te

Romantiek

leiden, je schuchtere passen begeleidde, je verwilderd uitziende ogen, je hart dat zo moeilijk liefheeft, zo voorzichtig liefheeft, zo verlegen dat ik er mijn doel van maakte en een man werd. Is dit wat Gods bedoeling was? Dat ondanks het feit dat Hij jou van mijn rib maakte, jij degene bent die me vernedert, me vernietigt en daardoor Hem laat zien?

Zullen we in as liggen voor we één zijn?

Welke grote aantrekkingskracht trekt mijn hart naar het jouwe toe? Welke grote kracht deed mijn invloedsfeer instorten, mijn eenzame staat? Wat is dat in mij dat jouw verlangen wil? Gaan we niet met neergeslagen ogen, met zware handen en voeten, met een vastgeplakte tong naar elkaar toe? Deze overeenkomst is onhaalbaar! We kunnen elkaar niet kennen!

Ik houd er mee op, maar niet zoals jij denkt. Ik ga niet weg.

Ik zal je dit beloven, mijn liefste, en ik zal niet meer onderhandelen of het prijsgeven. Ik zal van jou houden zo zeker als Hij van mij gehouden heeft. Ik zal ontdekken wat ik kan ontdekken en hoewel je een mysterie blijft, bewaar ik in de warmste kamer van mijn hart, de kamer waar God zichzelf verstopt heeft. En ik zal het doen tot aan mijn dood, al wordt het mijn dood.

Ik zal van je houden zoals God, vanwege God, bekrachtigd door de kracht van God. Ik zal ophouden jouw liefde te verwachten, jouw liefde te eisen, voor jouw liefde te onderhandelen, een spel te spelen voor jouw liefde. Ik zal gewoon liefhebben. Ik geef mezelf aan jou en morgen zal ik het weer doen. Ik denk dat de klok versleten zal zijn tegen de tijd dat ik klaar ben op dit altaar van sterven en opnieuw sterven.

God zette zichzelf op het spel voor mij. Ik zet mezelf op het spel voor jou. En samen zullen we leren liefhebben en dan, alleen dan, zullen we de aantrekkingskracht die Hem naar ons toe trok misschien begrijpen.

14

Alleen

Drieënvijftig jaar in de ruimte

Ik was eens verliefd. Ik denk dat liefde een beetje van de hemel is. Toen ik verliefd was, dacht ik zo vaak aan dat meisje dat het voelde alsof ik ging sterven en het was mooi en ze hield ook van mij, dat zei ze tenminste, en we waren niet met onszelf bezig maar met elkaar. Dat is wat ik bedoel als ik zeg dat verliefd zijn iets hemels is. Toen ik verliefd was, dacht ik nauwelijks aan mezelf; ik dacht aan haar en hoe mooi ze eruit zag en of ze het niet koud had en hoe ik haar aan het lachen kon maken. Het was geweldig, want ik vergat mijn problemen. In plaats daarvan kreeg ik haar problemen, maar haar problemen leken romantisch en mooi. Toen ik verliefd was, was er iemand in de wereld die belangrijker was dan ik, en dat, gezien alles wat sinds de val van de mensheid gebeurt, was een wonder, alsof God vergeten was om dat te vervloeken.

Ik denk echter niet meer dat verliefd zijn het tegenovergestelde is van alleen zijn.Ik zeg dat omdat ik altijd weer verliefd wilde zijn omdat ik veronderstelde dat dit het tegenovergestelde was van een-zaamheid. Maar nu zijn er andere dingen waarnaar ik verlang als ik me eenzaam voel, zoals gemeenschap, vriendschap en familie. Ik denk dat onze maatschappij teveel druk legt op romantische liefde en daarom mislukken zoveel liefdesrelaties. Relaties kunnen waar-schijnlijk niet alles bevatten wat we willen.

Tony de Rapper zegt dat de woorden *alleen, eenzaam* en *een-zaamheid* drie van de meest krachtige woorden zijn die bestaan. Ik ben het met Tony eens. Die woorden zeggen dat we mens zijn; het zijn net zulke woorden als *honger* en *dorst*. Maar het zijn geen woorden van het lichaam, het zijn woorden van de ziel.

Ik ben van nature een soort kluizenaar. Ik ben zoals die draad-loze schroefmachine die vierentwintig uur aan de lader moet om tien minuten te kunnen worden gebruikt. Zo'n lange productieon-derbreking heb ik ook nodig. Ik ben een enorme dagdromer. Dat ben ik al sinds ik een kind was. Mijn gedachten wandelen en spelen en springen van de hak op de tak. Ik verzin personages, schrijf ver-halen, doe alsof ik een rockster ben, doe alsof ik een legendarisch dichter ben, doe alsof ik een astronaut ben, en ik heb mijn gedach-ten niet in bedwang.

Maar als je al heel lang alleen woont verandert je persoonlijk-heid, omdat je zoveel in gedachten bent dat je de mogelijkheid om sociaal te zijn kwijtraakt en dat je niet meer begrijpt wat wel nor-maal gedrag is en wat niet. Er bevindt zich een complete wereld binnenin jou en als je jezelf de kans daartoe geeft, kun je er zo diep in terechtkomen dat je de weg terug naar de oppervlakte vergeet. Andere mensen houden onze ziel in leven, net zoals voedsel en wa-ter dat met ons lichaam doen.

Een paar jaar geleden ging ik met een paar vrienden liftend naar Jefferson Park. Op een avond zaten we rond een kampvuur verha-len te vertellen toen we een boswachter naar ons kamp zagen lopen. Hij was klein en dun, maar hij bewoog zich langzaam voort, alsof hij moe was. Hij beklom het hellinkje naar ons kampvuur door met zijn handen op zijn knieën te duwen. Toen hij bij ons was, stelde hij zichzelf niet voor maar bleef een hele tijd in het vuur staren. We groetten hem en hij knikte. Hij vroeg ons vriendelijk of hij onze vergunning mocht zien. We gingen naar onze tenten en haalden onze vergunningen uit onze rugtas en brachten ze bij hem. Hij be-studeerde ze allemaal langzaam, naar de documenten starend alsof

hij in een dagdroom was verzonken. Het waren echt simpele documenten, groene vellen papier met een handtekening. Maar hij keek
ernaar alsof het bewegende beelden waren, tekenfilms. Uiteindelijk
gaf hij ons onze vergunningen terug terwijl hij glimlachte, knikte en
heel erg raar keek. Daar stond hij dan. Hij leunde tegen een boom
die op nog geen meter afstand van ons kampvuur stond en keek
naar ons. We stelden hem een paar vragen, vroegen hem of hij nog
meer nodig had, maar hij zei vriendelijk nee. Ineens snapte ik het.

Hij was eenzaam. Hij was alleen en werd gek.

Hij was vergeten hoe je met mensen om moet gaan. Ik vroeg
hem hoe lang hij al in Jeff Park was. Twee maanden, zei hij. Twee
maanden, vroeg ik, helemaal in je eentje? Ja, zei hij en hij glimlachte. Dat is een lange tijd om alleen te zijn, zei ik tegen hem. Nou, zei
hij, dit gesprek heeft me uitgeput. Hij keek in de verte en hief zijn
hoofd op om naar de sterren te kijken.

'Ik geloof dat ik maar naar mijn tent ga,' zei hij. Hij nam geen
afscheid. Hij liep het heuveltje af, de duisternis in.

o   o   o

Ik ken dat gevoel, dat gevoel van weglopen in de duisternis. Toen
ik alleen woonde vond ik het heel moeilijk om onder de mensen te
zijn. Ik vertrok vroeg als ik op een feestje was. Ik ging uit de kerk
voordat de dienst afgelopen was zodat ik niet hoefde blijven praten.
De aanwezigheid van mensen irriteerde me. Ik was er zo aan gewend om te kunnen dagdromen en mezelf gezelschap te houden dat
andere mensen indringers waren. Het was vreselijk ongezond.

o   o   o

Mijn vriend Mike Tucker houdt van mensen. Hij zegt dat hij, als hij
een tijdje niet onder de mensen is, gek wordt, tegen zichzelf begint
te praten en verhalen verzint. Voor hij naar Portland verhuisde was

hij vrachtwagenchauffeur, geen al te beste baan voor iemand die niet goed alleen kan zijn. Hij vertelde dat hij een keer, op een rit van Los Angeles naar Boston, een drie uur durende conversatie had gehad met Abraham Lincoln. Hij zei dat het fantastisch was. Dat geloof ik, zei ik. Tuck zei dat meneer Lincoln erg bescheiden was en geniaal en dat hij beste kon luisteren van allemaal.

Tuck vertelde dat er bij chauffeurscafés altijd prostituees rondhingen die van vrachtwagen naar vrachtwagen gingen en de mannen vroegen of ze gezelschap nodig hadden. Hij zei dat hij een keer zo eenzaam was dat hij bijna aan een meisje had gevraagd om binnen te komen. Hij wilde niet eens seks. Hij wilde alleen een meisje dat hem vast zou houden, iemand van vlees en bloed, iemand die zou luisteren en met een echte stem terug zou praten als hij een vraag stelde.

Als ik 's avonds naar bed ga of als ik 's ochtends wakker word, praat ik soms tegen mijn kussen en doe ik alsof het een vrouw is, een fantasievrouw. Ik zeg tegen haar dat ik van haar houd en dat ze een mooie vrouw is en zo. Ik weet niet of ik dat doe omdat ik eenzaam ben. Tuck zegt dat ik het doe omdat ik opgewonden ben. Hij zegt dat eenzaamheid heel pijnlijk is en dat ik het wel zal weten op het moment dat ik het voel. Ik vind het interessant dat God mensen zo heeft gemaakt dat ze anderen nodig hebben. Je hebt van die tabaksreclames met een stoere cowboy die in zijn eentje op een paard rondrijdt en dat vinden we dan krachtig, terwijl het in feite hetzelfde is als je ziel op een bank zetten en hem niet laten bewegen. De ziel moet met andere mensen communiceren om gezond te blijven.

o   o   o

Lang geleden hield ik me schuil in een appartement buiten Portland. Ik woonde daar samen met een vriend, maar hij had een vriendin aan de andere kant van de stad en bracht zijn dagen en nachten met haar door. Ik had geen televisie. Ik at alleen, waste mijn kleren alleen en deed geen moeite om de boel schoon te houden omdat ik niemand kende die langs zou komen. Soms praatte ik tegen mezelf en dan echode mijn stem heel grappig tegen de muren en het plafond. Ik draaide platen en deed alsof ik de zanger was. Ik deed het geweldig als Elvis. Ik las de poëzie van Emily Dickinson hardop en deed alsof ik gesprekken met haar voerde. Ik vroeg haar wat ze met 'nul op het bot' bedoelde en ik vroeg haar of ze misschien lesbisch was. Even voor alle duidelijkheid, ze zei tegen me dat ze niet lesbisch was. Ze was eerlijk gezegd nogal beledigd door die vraag. Emily Dickinson was de interessantste persoon die ik ooit had ontmoet. Ze was echt lieftallig, een beetje stil zoals een bange hond, maar toen ze aan me gewend was, bleek ze een goede gesprekspartner. Ze was enorm geniaal.

Ik had twee jaar in dat appartement gewoond toen ik besloot om het land in te trekken om een bezoek te brengen aan Amherst, in Massachusetts, waar Emily woonde en stierf. Ik stelde me haar voor als de volmaakte vrouw, zo stilletjes geniaal in al die jaren, al haar gedichten netjes bewaard op stapeltjes papier met een touwtje erom. Ik moet bekennen dat ik er over dagdroomde dat ik in haar Amherst woonde, in haar tijd, en dat ik met haar bevriend was tijdens haar dagen op Holyoke Seminary, met haar door de zomerse heuvels, waar ze zo fantastisch over sprak, liep, de heuvels die 's ochtends hun bonnetten losknoopten. Mijn vriendin Laura, van Reed, zegt dat de helft van de mannen die zij kent verliefd is op Emily Dickinson. Zegt dat dat zo is omdat Emily geniaal was zonder een bedreiging te vormen, omdat ze zolang door haar vader onder de duim is gehouden. Ze denkt dat mannen verliefd worden op Emily Dickinson omdat Emily een onderdanige intellectueel is, en intellectuele mannen zijn bang voor de dominantie van vrouwen. Het kan me niet schelen waarom we verliefd worden op Emily Dickinson. Het is een overgangsrite voor iedere weldenkende man. Iedere weldenkende Amerikaanse man.

Ik vertel je dit allemaal om te laten zien hoe slecht het kan gaan als je een tijd niet echt onder de mensen komt. Ik vertel je over Emily Dickinson omdat ze me herinnert aan de eerste keer dat ik dacht dat ik misschien gek werd door mijn isolement. Ik weet nu dat het een geest van eenzaamheid was, maar ik kan je niet zeggen hoe echt die avond in Amherst leek. De andere keren dat ik haar had gezien was het slechts fantasie; ik creëerde haar uit verveling. Maar dit was anders.

Ik was die avond daarvoor van New York City naar Boston gereden en had in mijn auto geslapen. Ik stopte in Boston omdat ik te moe was om de hele nacht door te rijden. Ik lag heel koud te zijn onder mijn handdoek, die ik langs een gordel die in mijn rug stak had gelegd en tegen het handvat van de deur waar mijn hoofd tegenaan gedrukt was. Ik lag daar op de achterbank en staarde naar het dak van de auto, denkend aan Emily Dickinson. Ik deed nauwelijks een oog dicht. 's Ochtends hielp ik me met koffie op de been en begon aan het laatste stuk van mijn reis, het deel dat naar Amherst leidde.

o   o   o

Alle mooie meisjes op de universiteit van Massachusetts Amherst liepen die middag in joggingpakken, de studenten rookten op het grasveld, de bomen achter hen waren kaal en de lucht was strak blauw. Het is een prachtige plaats in de winter, maar het ziet er nogal saai uit. De grote huizen staan niet dicht bij elkaar. Rode bakstenen met klimop. Grote gazons.

Tegenover die universiteit bevindt zich Amherst College. Emily's grootvader richtte Amherst College op omdat hij wilde dat vrouwen de Bijbel even goed leerden kennen als mannen. Het leek erop dat hij meer visie dan organisatietalent had en de school ging bijna direct failliet. Jaren later werd de school gered door de zoon van de man, Emily's vader, die niet zo was als haar grootvader, omdat hij niet in de vrijheid of gelijkheid van vrouwen geloofde. Emily's vader was autoritair over vrouwen. Van Austin, Emily's broer, werd verwacht dat hij ging publiceren en een groot schrijver werd. Van Emily niet.

Ik dacht over deze dingen na toen ik om Amherst College heenliep en halt hield bij Jones Library waar enkele handgeschreven aantekeningen van Emily worden bewaard. Het zijn hoofdzakelijk krabbels, zacht potlood op vergeeld papier in een glazen kast. Het was magisch om ze te zien. Ik schaamde me omdat ik wist dat ik haar werk nog maar een jaar las en toch het gevoel had dat ik haar kende, alsof we goede vrienden waren en ze bij mij in mijn appartement in Oregon woonde en zo.

De man in Jones Library vertelde me waar ik de boerderij kon vinden. Het stelde niet veel voor, zei hij, en ik was er inderdaad zonder het op te merken langsgekomen toen ik de stad binnenkwam. Ik dacht dat ik het wel in mijn borstkas zou merken of dat ik het aan het mijn rechterkant zou voelen. Ik dacht dat het wel duidelijk aangegeven was. Ik volgde de aanwijzingen van de man op en liep vanaf de bibliotheek langs de winkels een dikke kilometer in de richting van Boston. Haar huis is niet echt wat je ervan zou verwachten. Hoewel het groot is, is het niet indrukwekkend en er staat een grote boom voor die het aan je zicht onttrekt. Voor de zijdeur liggen betonnen traptreden, de goedkope soort, en de oprijlaan is bestraat. Er staat een gedenkbord, maar het is klein, en dus is het eerste wat een jongeman zich realiseert als hij het huis van Emily Dickinson bezoekt dat de wereld niet zoveel van haar houdt als hij doet. Ik wilde de bladeren aanvegen, het erf schoonmaken. Ik bekeek het hele huis eerst goed voordat ik dichterbij durfde komen en toen zag ik iets. Zij was het niet echt, maar in mijn gedachten wel. Ze zwaaide de zijdeur open en liep snel het trapje af. Ze keek me aan en trok wit weg, nog witter dan ze al was, maar in elk geval vloog ze als de wind weer terug het huis in toen ze me zag. De deur sloeg dicht alsof er een veer aan zat. Ik was even niet in staat me te bewegen.

Die avond schreef ik in mijn dagboek:

'Ik zag Emily Dickinson de deur uitkomen en me met donkere ogen aankijken. Die eindeloos donkere ogen als de deuropening van een grot, als de diepe nacht die in tweevoud zo lieflijk onder haar gewelfde wenkbrauwen lag. Haar bleekwitte huid die afstak tegen het rood van haar lippen. Haar lange dunne hals die volmaakt tevoorschijn kwam vanuit haar witte jurk die zo soepeltjes om haar middel viel en haar enkels raakte. En toen ging ze terug naar binnen en ik durfde niet om het huis heen te lopen.'

Penny zegt dat mensen vaak gek worden als ze twintigers zijn. Ze zegt dat dat ook met haar moeder gebeurd is. En als we het erover hebben, denk ik weer aan die keer in Amherst, toen ik zo zeker was dat ik iets zag en ineens zeker wist dat er niets was omdat Emily dood is.

Ik stopte onmiddellijk met het me voorstellen van haar. Ik heb hier nooit iemand over verteld omdat het niet vaker gebeurd is, dus hoefde het niet, en bovendien zou ik het niet kunnen hebben als ik erachter kwam dat ik gek werd en inderdaad dingen zag. Ik schoof het op de eenzaamheid van het biochemische soort. Als iemand geen mensen om zich heen heeft, verzint hij ze omdat hij niet gemaakt is om alleen te zijn, omdat het niet goed is voor iemand om alleen te zijn.

Er was eens een man genaamd
Don Astronaut.

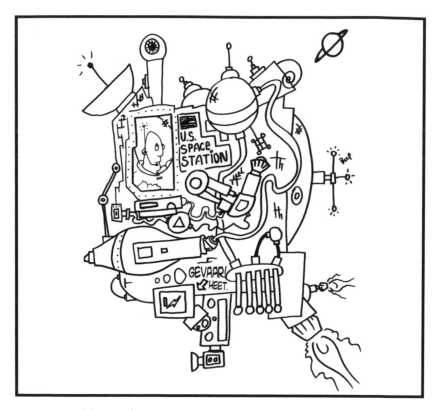

Don Astronaut woonde in een
ruimtestation in de ruimte.

Don Astronaut had een speciaal
ruimtepak dat hem zonder voedsel of
water of zuurstof in leven hield.

Op een dag gebeurde
er een ongeluk.

Don Astronaut werd
de ruimte in geschoten.

Don Astronaut cirkelde om de aarde
en was heel bang.

Tot hij zich herinnerde dat hij een
speciaal pak had dat hem in leven
hield.

Maar er was geen enkele regering die Don Astronaut kwam redden want dat zou teveel geld gaan kosten. (Er was een samenzwering en ze zeiden dat hij dood was, maar dat was niet zo.)

Dus cirkelde Don Astronaut maar
rond de aarde, veertien keer op een
dag.

Don Astronaut cirkelde maandenlang
rond de aarde.

Don Astronaut cirkelde
decennialang rond de aarde.

En Don Astronaut cirkelde drieënvijftig
jaar rond de aarde voor hij stierf als een
zeer eenzame en gekke man – slechts een
cocon met nauwelijks een sprankje leven.

Alleen

Een van mijn nieuwe huisgenoten, Sam, wil een verhaal over een astronaut schrijven. In zijn verhaal draagt de astronaut een pak dat hem in leven houdt door zijn lichaamssappen te recyclen. In het verhaal werkt de astronaut in een ruimtestation als er een ongeluk plaatsvindt. Hij wordt de ruimte in geschoten om rond de aarde te cirkelen en brengt de rest van zijn leven draaiend om de wereldbol rond. Sam zegt dat dit verhaal zijn voorstelling van de hel is, een plaats waar iemand volkomen alleen is, zonder anderen en zonder God. Toen Sam me zijn verhaal had verteld, bleef ik het in gedachten voor me zien. Ik dacht eraan voor ik 's avonds ging slapen. Ik stelde mezelf voor terwijl ik vanuit mijn astronautenhelm naar de aarde keek, me er naar uitstrekte, hem probeerde te pakken met mijn opgeblazen witte astronautenpakvingers, me afvragend of mijn vrienden er nog steeds waren. In mijn verbeelding zou ik ze roepen, om ze schreeuwen, maar het geluid kwam slechts keihard terug binnen mijn helm. Door de jaren heen zou mijn haar lang groeien in mijn helm en langs mijn voorhoofd glijden en over mijn ogen vallen. Omdat ik een helm op had kon ik mijn gezicht niet aanraken met mijn handen om mijn haren uit mijn ogen te halen, en zo zou mijn blik op de aarde binnen twee jaar langzaam vervagen tot er slechts een dun straaltje licht door een gordijn van haar en baard kwam.

Ik lag in bed aan het verhaal van Sam te denken en bracht mezelf daar in het duister. Er kwam een tijd, in de ruimte, dat ik niet kon zeggen of ik nu wakker was of sliep. Al mijn gedachten liepen in elkaar over omdat ik geen mensen had die me erop konden wijzen wat echt was en wat niet. Ik stompte mezelf in mijn zij om pijn te voelen en op die manier kon ik er betrekkelijk zeker van zijn dat ik niet droomde. Na tien jaar begon ik zwaar te ademen door mijn haar en mijn baard omdat ze zwaar tegen mijn gezicht aan drukten en ze mijn mond in krulden en mijn neus in kropen. In de ruimte vergat ik dat ik mens was. Ik wist niet of ik een geest of een spook of een demon was.

Nadat ik aan Sams verhaal had gedacht, lag ik in bed en wilde ik aangeraakt worden en wilde ik dat er tegen me gepraat werd. Ik had de beangstigende gedachte dat mij zoiets als dat zou overkomen. Ik vond het een vreselijk verhaal, een pijnlijk en afschuwelijk verhaal. Sam had een zeer accurate beschrijving van een hel gegeven. En wat zo verdrietig is, zo heel erg verdrietig, is dat we trotse mensen zijn, en omdat we gevoelige ego's hebben en zo velen van ons voor de televisie wonen, waar ze niet met echte mensen te maken hebben die ons pijn kunnen doen of ons kunnen beledigen, drijven we verder op onze bank zoals astronauten die zich doelloos langs de melkweg bewegen, nauwelijks communicerend met andere menselijke wezens.

o   o   o

Sams verhaal maakte me zo bang dat ik Penny belde. Ik bel Penny altijd als ik teveel denk. Ze heeft verstand van zulke dingen. Het was al laat, maar ik vroeg haar of ik naar haar toe kon komen. Ze zei ja. Ik pakte de bus. Er waren maar een paar mensen in de bus en niemand praatte met elkaar. Toen ik op Reed aankwam, begroette Penny me met een knuffel en een kus op de wang. We hingen een tijdje in haar kamer en kletsten wat. Het was zo fijn om een andere menselijke stem te horen. Er stond een foto van haar vader op haar bureau, lang en dun, met een cowboyhoed. Ze vertelde me over haar vader en dat zij en haar zus Jenny toen ze jong waren een jaar op de Grote Oceaan hadden gezeild. Ze zei dat ze erg close met elkaar waren. Ik luisterde heel aandachtig, want als ze me verhalen vertelde, was het alsof ze mijn ziel masseerde. Ze liet me dan weten dat ik niet alleen was, dat ik nooit alleen hoef te zijn, dat er vrienden en familie en kerken en koffieshops zijn. Ik werd de ruimte niet ingeschoten.

We verlieten het studentenhuis en liepen over Blue Bridge, een mooie loopbrug op de campus van Reed die zich uitstrekt over een ravijn. Hij zit vol met blauwe lampjes die, als je er met vochtige ogen naar kijkt, lijken op sterren die een pad naar de hemel verlichten. Het was erg koud, maar Penny en ik zaten buiten en rookten pijp. Ze vroeg naar mijn familie en vroeg waarover ik droomde en vroeg wat ik van God dacht.

Eenzaamheid is iets wat ons overkomt, maar ik denk dat het iets is waar we onszelf uit kunnen halen. Ik denk dat iemand die eenzaam is zich in een gemeenschap moet storten, zichzelf aan een gemeenschap moet geven, zichzelf moet vernederen voor zijn vrienden, een gemeenschap moet stichten, mensen moet leren om elkaar te geven, van elkaar te houden. Jezus wil niet dat we door de ruimte zweven of voor onze tv's hangen. Jezus wil dat er interactie is, dat we samen eten, samen lachen, samen bidden. Eenzaamheid is iets dat door de zondeval is gekomen.

Als houden van anderen een stukje hemel is, dan is isolatie absoluut een stukje hel. En hier op aarde beslissen we tot op zekere hoogte waar we ons in willen bevinden.

Rick vertelde me een tijdje daarna dat ik in een gemeenschap zou moeten gaan wonen. Hij zei dat ik mensen om me heen moest hebben die me lastig vallen en irriteren omdat ik zonder mensen niet kon groeien – ik kon niet groeien in God, en ik kon niet groeien als mens. We zijn geboren in een gezin, zei hij, en we zijn behoeftig als kinderen omdat God wil dat we samen zijn, bij elkaar wonen, onszelf niet als paddestoelen onder de boomstronken verstoppen. Je bent geen paddestoel, zei hij tegen me, je bent een mens, en je hebt andere mensen in je leven nodig om gezond te zijn.

Rick vertelde me dat er een groep mannen in de kerk was die op zoek was naar een huis zodat ze bij elkaar konden wonen. Hij zei dat ik eens moest overwegen me bij hen te voegen.

15
Gemeenschap

Samenwonen met excentriekelingen

Voor ik in een gemeenschap woonde, dacht ik dat geloof, in mijn geval het christelijk geloof, iets was wat iemand *alleen* deed, zoals monniken in grotten. Ik dacht dat persoonlijke tijd met God de ruggengraat was van het geloof. Tijd voor het lezen van oude teksten en meditatie over poëzie of de principes van natuurwetten en, misschien, als iemand goed en goddelijk wordt, het laten opstijgen van bloempotten of waterkannen.

Zo lijkt het in boeken. Ik las een christelijk boek over het verbeteren van jezelf, de actualisering van het individu in de persoonlijke reis naar God. Het boek sprak alleen over focus en gedrevenheid en perspectief. Het waren allemaal dingen die je in een stille kamer doet. Niets van dat alles had iets te maken met gemeenschap.

Als andere mensen onderdeel waren van de christelijke reis, hadden ze kleine rollen; je moest rekenschap bij ze afleggen of het waren adviseurs, of echtgenoten of echtgenotes. Ik kwam geen enkel boek tegen (behalve dan het gros van de boeken in het Nieuwe Testament) dat zich met advies over het geloof richtte tot een groep mensen of een gemeenschap.

Toen ik in de boekhandel de afdeling met christelijke boeken bekeek, was de boodschap duidelijk: Geloven is iets wat je *alleen* doet.

Rick is niet erg tolerant ten opzichte van mensen die alleen wonen. Net als Bill Clinton voelt hij mee met de pijn van andere mensen. Als Rick denkt dat iemand eenzaam is, kan hij 's nachts niet slapen. Hij wil dat we allemaal bij elkaar wonen en gezellig doen zodat hij wat slaap krijgt. Gekwelde ziel.

Ik wist eerst niet wat ik moest vinden van het idee van in een woongroep wonen. Ik had zo'n zes jaar op mezelf gewoond en het idee bij een stelletje slonzen in te trekken sprak me niet bepaald aan. In een gemeenschap wonen klonk zo, eh, vreemd. Sektes doen zulk soort dingen. Eerst woon je in een woongroep, dan drink je het drankje en sterf je.

Maar het was Ricks idee en hij leek op alle andere terreinen van zijn leven vrij normaal te zijn. Hij zei nooit iets over een ruimteschip dat achter een komeet aanzat. Hij vroeg ons nooit om wapens of pindakaas op te slaan, dus besloot ik dat datgene wat hij zei over het wonen in een gemeenschap nog niet zo gek hoefde te zijn. Dat iets op een sekte lijkt, betekent nog niet dat het dat ook is, toch? Bovendien, ik ging richting de dertig en was nog steeds niet getrouwd. Als je dertig bent en niet getrouwd en je gaat bij een stel mannen wonen, zie je eruit alsof je het hebt opgegeven, alsof je je bij een stel losers voegt om over computers te kunnen praten en games te kunnen delen.

Als ik in een woongroep zou wonen, zouden we eerst zo'n vijf dansfeesten moeten hebben om van het loser-imago af te komen. Maar ik ben niet zo'n feestbeest. Ik ga graag om negen uur naar bed en houd ervan om CNN te kijken tot ik in slaap val. Dus bedacht ik dat ik wel bij de mannen in kon trekken en dan gewoon tegen iedereen kon zeggen dat we dansfeesten hadden terwijl we ze niet hadden.

Ik wist niet of ik het nu moest doen of niet.

Rick bleef me ermee lastigvallen. Ik woonde op het platteland, zo'n vijftig kilometer van de stad en hij bleef me maar vragen of ik daar niet eenzaam was, of ik niet liever naar de stad verhuisde met een stel jongens van de kerk. Hij vroeg of ik daar op het platteland wel gelegenheid had om het evangelie te vertellen. Hij vroeg of ik mijn invloed uit probeerde te oefenen op de koeien. Ik zei tegen hem dat ik veel invloed had. Ik schreef boeken. Hij lachte. Ik voelde me ongemakkelijk toen hij lachte. 'Boeken,' zei hij. 'Briljant! Je schrijft boeken voor mensen.' Hij kon niet ophouden met lachen. Hij was heel irritant.

o   o   o

Een maand nadat ik met Rick had gepraat ging ik met vijf andere mannen verhuizen. We vonden een huis in Laurelhurst. We woonden tegenover het gigantische standbeeld van Jeanne d'Arc. Je zult het standbeeld wel zien als je in Portland komt.

Ik vond het direct leuk. Het was een groot huis en ik kreeg de beste kamer, de kamer met al die ramen. Mijn kamer had letterlijk in elke muur ramen, wel tien in totaal. Het was alsof ik in een broeikas woonde. Ik zette mijn bureau voor het enorme raam dat uitkeek op de rotonde en het standbeeld. Mijn vrienden toeterden altijd als ze op de rotonde reden. Ik vergat altijd dat ik in een glazen huis woonde, dus haalde ik net op tijd mijn vinger uit mijn neus om terug te zwaaien. Ik ging van het wonen in isolement naar het wonen in een glazen doos aan een drukke straat.

Een van de beste dingen van het wonen in een gemeenschap was dat ik voor het eerst in mijn leven broers had. We zaten op de veranda en keken naar de auto's op de rotonde. We staarden naar het standbeeld van Jeanne d'Arc en vroegen ons hardop af of we het van haar konden winnen in een gevecht.

Op mijn bureau staat een foto van de zes mannen van Graceland, zo hadden we het huis genoemd. De mensen dachten dat we het huis Graceland hadden genoemd omdat we wilden dat het een plek was waar mensen Gods genade en onvoorwaardelijke liefde konden ervaren. Maar daar dachten we later pas aan. We noemden het eigenlijk Graceland omdat dat de naam was van het huis waar Elvis in woonde, en net als Elvis waren we allemaal best goed met vrouwen.

De foto op mijn bureau is meer dan een foto van zes mannen; het is een foto van mij in mijn overgangsperiode. Geen fysieke overgang maar meer een innerlijke verschuiving van het ene soort van denken naar het andere. Op die foto zie ik er niet erg moe uit, maar ik herinner me dat ik me moe voelde. Ik voelde me bijna een jaar lang moe. Ik was moe omdat ik er niet aan gewend was om de hele tijd mensen om me heen te hebben.

De foto was op de veranda genomen. We waren allemaal pijp aan het roken. Ik droeg een zwarte bivakmuts, zoals een rapper of een bankrover. Andrew de Protesteerder, een lange knappe man met donker haar en een baard die eruit ziet als een jonge Fidel Castro, was de activist van ons vrijgezellengezin. Hij is die vent waar ik je over vertelde, met wie ik naar demonstraties ga. Hij werkt met daklozen in het centrum en hij studeert voor maatschappelijk werker aan Portland State. Hij heeft het er altijd over hoe afschuwelijk Republikeinen zijn en hoe fout het is om vlees te eten. Ik zou eerlijk gezegd niet weten hoe Andrew zo lang is geworden zonder vlees te eten.

Jeremy, die vent met Wranglers en een marinierskapsel, is de cowboy van het gezin. Hij heeft altijd een pistool bij zich. Je zou verwachten dat Andrew en Jeremy een hekel aan elkaar hadden omdat Andrew er tegen is dat mensen wapens mogen dragen, maar ze konden wel goed met elkaar over weg. Dat is wel jammer want anders zou het een mooie ruzie zijn geweest. Jeremy wil politieagent worden en hij heeft leren worstelen en Andrew is een communist. Ik probeerde om ze aan het vechten te krijgen, maar ze mochten elkaar.

Mike Tucker, die we allemaal Tuck noemen, was de oudere broer van het gezelschap, de verantwoordelijke. Hij is degene met de rode stekels, alsof hij een mix is van Richie Cunningham en een rockster. Mike was jarenlang vrachtwagenchauffeur maar droomde altijd al van een carrière in de reclame. Hij verhuisde naar Portland en begon zijn eigen reclamebureau met alleen een mobiele telefoon en een website. Hij poseerde naakt in zijn informatiebrochure, wat hem contact met Doc Martens en een plaatselijk modellenbureau opleverde. Hij werkt om de dag als freelancer en rijdt de rest van de tijd in vrachtwagens. Mike is een van mijn beste vrienden in de wereld. Mike is een van de geweldigste mannen die ik ken.

Simon, de korte knappe man met het zwarte haar en de sluwe grijns, was de dwerg van onze stam. Hij is een diep spirituele Ier uit Dublin. Simon is een rokkenjager. Hij ging altijd naar Kell's voor een biertje met de jongens of naar de kerk om te bidden en God vergeving te vragen voor zijn afschuwelijke zonden en zijn humeur. Simon kwam met een werkvisum naar Amerika. Hij kwam speciaal naar Portland om onze kerk te onderzoeken. Hij wil terug naar zijn vaderland om daar een christelijke opwekking te beginnen en het land terug te brengen naar het geloof in Jezus, de levende God. Daarna wil hij mannen verzamelen en Engeland veroveren. Hij wil de Engelsen tot slaaf maken van de Ieren, het volk der volken, het volk dat eer, integriteit, westerse beschaving, Guinness en kennelijk ook pindakaas en de gloeilamp uitgevonden heeft.

Trevor, de jongste man op de foto, ziet eruit als Justin Timberlake, als een zanger in een boyband. Hij heeft steil haar dat onderaan wat opkrult en hij is blond geverfd. Trev is het jonkie, het groentje van ons clubje onaangepasten. Hij is net een paar jaar van de middelbare school af en hij rijdt op een Yamahamotor die zo snel is dat ik het voorwiel nauwelijks op de grond kan houden als ik er eens op mag rijden. Hij is een leerling met een puur hart dat net een absorberende spons is en hij wil een hele goede man worden. Trevor is een van mijn favorieten. Hij is mijn Nintendo-maatje. We schelden elkaar uit als we NFL Blitz spelen. Ik win meestal omdat hij wat langzaam met zijn vingers is. Soms, als ik van hem gewonnen heb, kruipt hij naar zijn bedje toe en huilt zichzelf in slaap. Daarna heb ik meestal medelijden met hem en laat ik hem een of twee potjes winnen. Groentje.

o   o   o

Ik mocht ze allemaal erg graag, maar er waren ook moeilijke tijden. Ik was een echte kluizenaar voordat ik bij de jongens in Graceland ging wonen. Als je een paar jaar alleen hebt gewoond, begin je te denken dat de wereld van jou is. Je begint te denken dat alle ruimte en alle tijd aan jou is.

Het is net als in die film *About a Boy* waar hoofdrolspeler Hugh Grant Nick Hornby speelt, die gelooft dat het leven een toneelstuk is dat om hem draait en dat alle andere personages een bijrol hebben in een verhaal dat zich rondom hem afspeelt. Zo voelde mijn leven ook. Het leven was het verhaal van mij omdat ik in iedere scène terugkwam. Eigenlijk was ik de enige in elke scène. Ik was overal waar ik naartoe ging. Als iemand mijn scène binnenliep, frustreerde het me dat omdat diegene dan het thema van het stuk, namelijk mijn comfort of roem, verstoorde. Andere mensen waren platte karakters in mijn film, levenloze karakters. Soms speelde ik een scène met hen, dialogen. Ze zeiden hun regeltjes op en ik die van mij. Maar de film, de grote film die zich uitstrekt van Adam tot de Antichrist, ging over mij. Ik zou je dat op dat moment niet hebben verteld, maar op die manier leefde ik.

Tuck was een van mijn beste vrienden toen hij bij ons kwam wonen. Hij is nog steeds een van mijn beste vrienden, maar er was een tijd dat ik hem wel kon vermoorden. Hij begreep niet dat het leven een film was die over mij ging. Dat had niemand hem verteld. Hij klopte op mijn deur als ik aan het lezen was, kwam binnen en ging in een stoel tegenover mij zitten. Vervolgens begon hij te praten en wilde hij weten hoe mijn dag verlopen was. Niet te geloven! Wat een lef om mijn kamer binnen te komen, mijn geluidsstudio, en de loop van het verhaal te onderbreken met vragen over hoe het met me gaat.

Ik gaf Tuck signaaltjes die aangaven dat ik niet wilde praten; ik rolde met mijn ogen en gaf korte antwoorden op zijn vragen. Ik staarde in de verte zodat hij zou denken dat ik gek was of snurkte zodat hij zou denken dat ik in slaap was gevallen. Ik denk dat ik hem gekwetst heb. Hij raakte erg gefrustreerd door mij, ging naar boven en vroeg zich af waarom ik me zo gedroeg. Hij deed dit maar een paar keer en gaf het toen op. Om eerlijk te zijn was ik deze vriendschap bijna kwijtgeraakt.

Ik hield niet van het gevoel dat ik met mensen mee moest werken. We hadden een huisvergadering en praatten over wie zijn taken niet deed of wie zijn vuile vaat in de gootsteen liet staan, en als ik me aangevallen voelde, haalde ik uit naar degene die me beschuldigd had. Ik was er volledig van overtuigd dat ik gelijk had en dat zij fout zaten. Op dat moment zag ik niet dat ik grof was. Het gebeurde een paar keer dat Trevor opstond en de kamer uitliep. Dat kwam altijd door mij. De andere mannen hadden wel eerder met anderen samengewoond. Zij wisten allemaal wat van mensen af.

Het wonen in een woongroep liet me een van mijn gebreken zien: Ik was verslaafd aan mezelf. Ik dacht alleen maar aan mezelf. Het enige waar ik echt om gaf was ikzelf. Ik had weinig kaas gegeten van liefde, altruïsme of opoffering. Ik ontdekte dat mijn brein net een radio was die maar een zender te pakken kan krijgen, mijn eigen zender: *Donradio, Don, altijd Don.*

Ik begreep nicts van de uitwisseling die tot stand kwam in een zinvolle dialoog, als twee mensen er voor gaan zitten en hun radio's, al is het maar even, op de zender van de ander afstemmen. Het moet voor Tuck heel pijnlijk zijn geweest om zo zijn best te doen om mijn zender te pakken te krijgen terwijl ik hem maar bleef afpoeieren.

Omdat ik zo lang mijn eigen gang had kunnen gaan schoot ik in de verdediging als ik het gevoel kreeg dat iemand inbreuk maakte op mijn rechten. Mijn intieme zone was enorm. Ik kon geen gesprekken van langer dan tien minuten voeren. Ik wilde efficiëntie in persoonlijke interactie en terwijl ik een van mijn huisgenoten hoorde praten vroeg ik me af waarom hij er zo omheen draaide. *Wat probeer je te zeggen?* Dacht ik. *Moeten we hier echt over koetjes en kalfjes staan praten?*

Tuck vertelde me later dat hij zich de eerste maanden dat wij bij elkaar woonden veroordeeld voelde, alsof er iets mis met hem was. Iedere keer als hij bij mij in de buurt was, voelde hij zich ondergewaardeerd.

o   o   o

De moeilijkste leugen die ik heb moeten ontmaskeren is deze: Het leven is een verhaal over mij.

o   o   o

God bracht me naar Graceland om van dit bedrog af te komen, om het uit de grijze massa van mijn hersenen te schrobben. Het was een frustrerende en pijnlijke ervaring.

Ik hoor verslaafden praten over het beven en de paniekaanvallen en de hoogte- en dieptepunten in het verzetten tegen hun gewoonte en tot op zekere hoogte begrijp ik hen omdat ik mijn eigen gewoontes heb. Maar geen enkele drug is zo krachtig als de drug van het ego. Niets is zo diepgeworteld in het brein dan de wortel die zegt dat ik de wereld ben, dat de wereld mij toebehoort, dat alle mensen meespelen in mijn toneelstuk. Er is geen enkele verslaving die zo krachtig is als zelfverslaving.

o   o   o

In het voorjaar van mijn jaar in Graceland, toen de bodem van Laurelhurst Park weer droog werd, reisde ik samen met een vriend naar Salem om Brennan Manning te horen spreken. Manning is een voormalige katholieke priester en een geweldig schrijver die te kampen heeft gehad met alcoholisme en die openhartig spreekt over zaken die met het geestelijk leven te maken hebben.

We zaten zo dichtbij dat ik het blauw van Brennans ogen kon zien. Ook zag ik de mate van oprechtheid die je aantreft in mensen die hun beproeving ten goede hebben gekeerd. Brennan groeide op in New York en praat met een licht Westkust-accent dat gepolijst is door jarenlang roken. Een oor moet aardig werken om zijn tempo bij te kunnen houden. Hij begon zijn praatje met het verhaal van Zacheüs. Brennan sprak erover hoe een hele stad, met al haar spot en al haar haat, de kleine man er niet van kon weerhouden haar te onderdrukken door de buitensporige winst die hij als belastingambtenaar maakte. Christus wandelde door de stad, zei Brennan, en Hij zag de man. Christus zei tegen Zacheüs dat Hij bij hem wilde eten.

Brennan herinnerde er ons aan dat Christus in dat ene gesprek met Zacheüs positief en vol liefde sprak. En de belastingambtenaar verkocht zijn bezittingen en vergoedde de schade van hen die hij beroofd had. Het was de genegenheid van Christus en niet de wreedheid van een stad die Zacheüs genas.

Manning ging verder met spreken over het grote gevaar van een ruw woord, de kracht van haat om het hart en de geest van iemand aan te kunnen tasten, en hoe de communicatie van ons, als vertegenwoordigers van de genade en liefde van God, doordrenkt moet zijn met liefde en bewogenheid.

Terwijl Manning sprak, werd me mezelf getoond en ik kreeg het gevoel dat God me vroeg te veranderen. Ik werd gevraagd om af te stappen van de leugens die ik geloofde over dat de wereld om mij draaide. Ik had niet liefdevol met mijn huisgenoten gecommuniceerd omdat ik dacht dat ze niet meewerkten met de betekenis van het leven, de betekenis van mijn verlangen en wil en keuze en comfort.

Er was die avond niets grappigs aan om naar huis te gaan. Ik ging met nieuwe ogen en zag mijn huisgenoten als mensen. Voor het eerst zag ik hen als mensen en kon ik Gods liefde voor hen voelen.

Ik woonde bij Gods kostbare bezit, zijn kinderen, zijn geliefden, en ik had ze een plaag gevonden voor mijn aarde, mijn ruimte en mijn tijd.

o   o   o

In dat korte jaar in Graceland heb ik alle jongens wel eens of vaker gekwetst. Het kostte tijd om de schade te herstellen. Ik moest het met ieder van hen goedmaken. Ik had er echt een zooitje van gemaakt. Jeremy, de vent met dat marinekapsel die politie wilde worden, kon me niet uitstaan. Ik was een keer met mijn auto door de garagedeur gereden en weigerde om die te repareren. Jeremy parkeerde zijn motor in de garage en moest de kapotte deur iedere dag gebruiken. Mijn kamer was precies boven de garage. Als Jeremy 's morgens om vijf uur naar zijn werk ging, startte hij zijn motor en dat klonk net alsof iemand naast mijn bed een grasmaaier aanzette. Ik werd woedend en 's avonds vroeg ik hem of we er niet wat aan konden doen. Hij zei nee, daar moest hij zijn motor nu eenmaal parkeren. En dat was waar. Dus elke keer als Jeremy moeite had om de kapotte deur omhoog en omlaag te doen, werd hij kwaad op mij en iedere keer dat hij om 5.00 uur zijn motor startte werd ik kwaad op hem. Het ging natuurlijk helemaal niet om die motor of om de deur; het ging erom of we elkaar respecteerden of niet, of we elkaar mochten of niet.

Op een avond was ik in de kelder met Tuck aan het praten terwijl hij aan het trainen was. Ik besloot mijn was te doen terwijl ik daar beneden was, maar iemands kleren lagen nog in de droger. Er was geen plaats om ze ergens neer te leggen, dus legde ik ze op de grond. Dat leek mij verder prima, want de vloer was aardig schoon, maar het bleek dat het de kleren van Jeremy waren, en later die avond, toen hij thuiskwam, schreef hij een berichtje op het whiteboard aan de persoon die zijn kleren op de grond had gegooid. Ik had ze niet eens op de grond gegooid, maar ze er neergelegd, maar desondanks was hij behoorlijk aangebrand. Ik zei tegen hem dat ik het gedaan had en bood mijn excuses aan. Hij moest een eindje omlopen, zo kwaad was hij. Het was de druppel.

Toen hij terugkwam vroeg ik of we konden praten. Ik zei dat het tijd was dat we ermee afrekenden. Hij wilde telkens uit het gesprek lopen omdat hij zo kwaad was, maar dat stond ik niet toe. Ik was bereid om mijn excuses aan te bieden. Ik zei tegen hem dat ik niet het idee had dat hij me mocht omdat hij iedere ochtend zijn motor startte en dat ik daar boos om was en dat ik hem daarom terug wilde pakken en dat ik dat soort van onbewust had gedaan, met kleine opmerkingen en zo. Ik had nog nooit tegen hem gezegd dat ik het gevoel had dat hij mij niet mocht en dat ik wilde dat het anders was. In plaats daarvan was ik trots en passief strijdlustig geweest. Daarom ging het zo met ons. En ik zei tegen hem dat ik me daar rot over voelde. Ik beschuldigde hem nergens van, wat als ik er op terugkijk heel erg belangrijk bleek. En ik verwachtte ook niets van hem terug. Ik vond echt niet dat hij me iets verschuldigd was. Jeremy luisterde heel aandachtig naar mij toen hij eenmaal was gekalmeerd. Hij was fantastisch. Hij zei tegen me hoe graag hij me mocht en dat betekende enorm veel voor mij. Op dat moment voelde ik alle woede die ik in me had wegsmelten. Ik kon me niet eens meer herinneren waarom ik boos was. En de volgende morgen toen Jeremy zijn motor startte, werd ik er niet eens wakker van.

Ik verbleef in San Francisco in een 'bed en breakfast' voor mensen die voor zending naar de stad komen. Het was een klein huis, maar er verbleven daar toen waarschijnlijk zo'n vijftien mensen. De man die het huis runde, Bill, kookte altijd en hield het huis schoon en zijn ongelooflijke hoeveelheid geduld en vriendelijkheid vielen me op. Ik zag dat niet iedereen van ons zijn vaat deed na het eten en er waren maar weinig mensen die hem bedankten voor het eten. Op een ochtend voor iedereen wakker was, dronken Bill en ik koffie aan de tafel in de eetzaal. Ik vertelde hem dat ik bij vijf andere mannen woonde en dat ik dat moeilijk vond omdat ik erg gesteld was op ruimte en mijn privacy nodig had. Ik vroeg hem hoe het hem lukte om de hele tijd zo'n goede houding te hebben, terwijl er zoveel mensen waren die misbruik maakten van zijn vriendelijkheid. Bill zette zijn koffie op tafel en keek me recht aan. 'Don,' zei hij. 'Als we niet bereid zijn om 's ochtends als we wakker worden aan onszelf te sterven, moeten we ons misschien afvragen of we Jezus wel echt volgen.'

16

Geld

Gedachten over het betalen van de huur

Schrijvers verdienen geen geld. Een schijntje. Het is te triest voor woorden. Maar ja, we werken ook niet. We zitten tot het middaguur in onze pyjama en gaan dan eens een keer naar beneden om koffie te zetten, een eitje te bakken, de krant te lezen, een boek te lezen, te ruiken aan het boek, ons af te vragen of we misschien zelf aan ons boek zouden moeten werken, weer aan het boek te ruiken, het boek door de kamer te smijten omdat we nogal jaloers zijn dat iemand anders een boek geschreven heeft, ons vreselijk schuldig te voelen omdat we het boek van die zak door de kamer hebben gesmeten omdat we ons stiekem afvragen of God vanuit de hemel onze kwade jaloezie, of erger nog, onze luiheid heeft gadegeslagen. Dan gaan we op de bank hangen en mompelen tegen God of Hij ons wil vergeven omdat we stiekem bang zijn dat Hij al onze woorden zal doen opdrogen omdat we de stomme woorden van iemand anders benijdden. En daarvoor, wat ik al zei, krijgen we een schijntje betaald. We zijn zoveel meer waard.

Ik haat het om geen geld te hebben. Ik haat het dat ik niet nar de film kan of ergens een kop koffie kan bestellen. Ik haat het gevoel dat ik heb als ik bij de bank geld heb gepind en het bonnetje komt eruit, het bonnetje met het bedrag erop, het cijfer, het altijd lage getal dat valt te vertalen naar het aantal dagen dat ik me nog gemakkelijk kan voelen. Voor mij voelt de geldautomaat vaak alsof het een fruitautomaat is. Ik loop er naartoe en hoop dat ik geluk heb.

Ik voel me echt een loser als ik geen geld heb. Dat is het echte probleem. Ik voel me ondergewaardeerd, alsof de goden mijn bestaan niet hebben goedgekeurd, alsof mijn uitkering gestopt is. Onze waarde wordt immers bepaald aan de hand van ons verdienend vermogen. Onze waarde is het geld dat we verdienen. Misschien is dit een mannending; misschien denken vrouwen hier anders over, ik weet het niet, maar zo denk ik erover. Ik vind dat ik evenveel waard ben als ik verdien en aangezien ik maar een schijntje verdien ben ik dat ook waard. Geen geld hebben heeft invloed op hoe een man over zichzelf denkt. Vorig jaar had ik helemaal geen geld. Vijf van de twaalf maanden van het afgelopen jaar bad ik of God me de huur wou geven. Vijf van de twaalf maanden vond ik op de dag dat ik de huur moest betalen een cheque in mijn brievenbus. Eerst was ik dankbaar, maar na een tijdje begon ik me eerlijk gezegd een liefdadigheidsproject van God te voelen. Aan het einde van iedere maand begon ik nagels te bijten en me af te vragen welke klant me nog geld verschuldigd was en of ik schrijfopdrachten wel of niet aan moest nemen. Op de christelijke markt is niet veel werk als je geen conservatieve propaganda vol eigendunk wilt schrijven. Ik schrijf nieuw-realistische essays. Ik ben geen product.

Ik vroeg me af of ik nu lui was of niet. Als je schrijver bent, voel je je zelfs lui als je aan het werk bent. Wie wordt er nou voor betaald om de hele dag in een koffieshop achter een computer te zitten? Maar ik werkte, bleef ik mezelf voorhouden. Ik kwam iedere dag opdagen in Palio en 's avonds ging ik naar Common Ground. Ik werkte. Ik schreef. Ik maakte mezelf gek met mijn schrijven.

Maar in die tijd werkte ik zonder contract. Dus ik schreef niet echt voor geld, ik schreef in de hoop op geld. En als je zonder contract schrijft, voel je je alsof alles wat je schrijft totaal waardeloos is (dat is het technisch gesproken ook totdat je een contract krijgt).

Je kunt de hele dag werken en nog niet het gevoel hebben dat je iets gedaan hebt. Een man moet wat te doen hebben, moet zijn handen vies en vol eelt hebben en moet eens in de zoveel tijd met een hamer op zijn duim slaan. Hij moet moe zijn aan het einde van de dag, en dan niet alleen geestesmoe, nee, ook lichamelijk moe.

Ik was niet lichamelijk moe, alleen geestesmoe, en ik had geen geld dus voelde ik me geen man. Ik voelde me niet op mijn plek.

Ik praatte er met Rick over. Hij kwam naar het huis en we gingen bij elkaar zitten en ik vroeg hem of hij dacht dat God me echt geroepen had om schrijver te zijn of dat ik gewoon lui was, egoïstisch, mijn tijd verbeuzelend met woorden. Hij vroeg me of ik werkte; hij zei dat iedereen werk nodig heeft. Ik vertelde hem dat ik werkte maar er niet voor betaald kreeg omdat ik nog geen contract had en dat het moeilijk was om een contract te krijgen. Het was een grote gok. Hij zei dat hij niet wist of het goed of fout was wat ik deed. Hij zei dat hij voor me zou bidden. Ik liet mijn ogen rollen. Hij zei tegen me dat ik een gave had en dat hij me mocht en dat God het wel duidelijk zou maken als ik echt één luie stomkop was. In Imago, onze kerk, zitten veel artiesten en gezondheidsfreaks en niemand van ons heeft geld, dus Rick zei dat ik als ik schrijver werd een bestseller moest schrijven zodat de kerk wat geld mee kon krijgen.

o   o   o

Als je de waarheid wilt weten, ik kan niet verantwoord met geld omgaan. Goddank heb ik geen geld om grote dingen te kopen, dus koop ik kleine dingen. Ik houd teveel van nieuwe spullen. Ik houd van hun geur. Vandaag wilde ik een verlengsnoer kopen. Ik heb een verlengsnoer nodig voor een lamp in het kamertje boven. Ik had al een timer voor die lamp gekocht, zo eentje die de lamp 's avonds aan doet en die hem weer uit doet als iedereen in bed ligt, maar nu heb ik een verlengsnoer nodig.

Waarschijnlijk hadden we die timer niet eens zo hard nodig. Ik had de lamp ook gewoon in een contactdoos kunnen doen en dan was het prima geweest. Maar vorige week zag ik in de winkel die timer. Ik was er toevallig langs gekomen, stond er even naar te kijken en besefte ineens hoe hard ik zo'n ding nodig had. En hij kostte maar zeven dollar. Voor die zeven dollar heb ik hem hard nodig, dacht ik. Dit is heel belangrijk. Ik deed hem in mijn mandje en liep weg, mezelf afvragend waar ik het ding voor kon gaan gebruiken. Dat is nu natuurlijk wel duidelijk: de lamp in het kamertje boven. Ik nam de timer mee naar huis en programmeerde hem zonder de gebruiksaanwijzing te lezen. Toen ging ik naar boven om de lamp erop aan te sluiten, maar de lamp was te ver van het stopcontact verwijderd. Ik kon de lamp niet dichterbij krijgen zonder de Feng Shui te ruïneren. Ik heb een gezondheidsfreak als vriend en hij zegt dat Feng Shui enorm belangrijk is, dat een kamer in balans moet zijn zodat jij je in balans voelt als je daar bent. Vandaar dat ik een verlengsnoer nodig had voor mijn timer.

Ik vertel je dit allemaal alleen maar om je te laten zien dat ik een probleem heb met het kopen van dingen die ik niet echt nodig heb. Ik zag een documentaire over het brein en daarin werd gezegd dat gewoontes worden gevormd wanneer het 'pleziercentrum' van het brein oplicht als we een bepaald gedrag uitvoeren. De documentaire zei ook dat bij sommige mensen het pleziercentrum oplicht als ze dingen kopen. Ik vroeg me af of mijn pleziercentrum dat ook deed.

Penny vindt dat ik verschrikkelijk ben met dat kleine beetje geld dat ik heb. Ik sprak haar eergisteravond en ik vertelde dat ik wel graag een afstandbestuurbare auto wilde kopen. Ze bleef maar stil zitten en zei niets. Penny, ben je er nog? vroeg ik. Ja, zei ze. Wat is er? vroeg ik. Meen je dat, Don? Ga jij je kostbare geld verspillen aan een afstandbestuurbare auto?

'Nou...eh,' zei ik.

'Nou...eh...Miller, dat zou een vreselijk stom iets zijn terwijl er in India kinderen omkomen van de honger!' zei ze.

Ik haat het als Penny zo doet. Het kan echt zo irritant zijn.

Maar zo leeft ze echt. Ze heeft een heel jaar lang, haar laatste jaar op Reed, geen kleren gekocht omdat ze het gevoel had dat ze onverantwoord met haar geld omging. Maar ze ziet er altijd heel mooi uit en ik heb voor haar verjaardag een paar wanten gekocht. Ze waren maar zeven dollar op de zaterdagmarkt. Ze droeg ze alsof ze bij een of andere dure zaak vandaan kwamen. Ze had het er altijd over. Zo bijzonder waren ze niet, maar ze had een jaar geen nieuwe kleren gehad, dus ik denk dat ze zelfs droeg als ze sliep.

Maar Penny heeft gelijk als het gaat om het uitgeven van geld. Penny heeft altijd gelijk. Penny zei dat ik als ik iedere maand twintig dollar spaarde en het aan Amnesty International zou geven, letterlijk levens zou redden. Letterlijk. Maar dat stomme pleziercentrum in mijn brein laat het afweten en het voelt alsof ik niets kan doen. Ik vertelde Penny over het pleziercentrum en dat ik de afstandbestuurbare auto zo nodig had zodat mijn pleziercentrum weer op zou lichten. Ze haalde de telefoon weg van haar oor en sloeg ermee tegen haar stoel.

Nog even over dat verlengsnoer. Ik dacht vrij zeker te weten dat ik er nog een in de kelder had, in een doos met wat andere snoeren, maar als ik zou gaan kijken, vond ik hem misschien en dan kon ik niet meer naar de winkel. Wat wij nodig hadden was een nieuw verlengsnoer, de laatste technologie, dacht ik bij mezelf.

Ik deed snel mijn laarzen aan. De goede stem, de zuinige stem, de Pennystem begon in mijn hoofd: *Don, alsjeblieft, er zijn kinderen die dat geld kunnen gebruiken voor kerstcadeautjes.* Het is augustus, zei ik hardop. *En milieuveranderingen dan?* zei Goede Stem. *En denk eens aan de regenwouden die misschien wel een geneesmiddel voor kanker bevatten of voor AIDS.* Bomenknuffelaar, zei ik tegen Goede Stem terwijl ik mijn helm opzette. *Je hebt een probleem,* zei Goede Stem. Je bent een zeikerd, zei ik terug. *Je bent onverantwoord bezig!* schreeuwde Goede Stem. Houd je grote bek, riep ik terug.

Weet je wat het is met nieuwe spullen? Je voelt je nieuw als je ze koopt, je voelt je alsof je iemand anders bent omdat je iets anders in bezit hebt. We zijn onze bezittingen. Er zijn mensen die verslaafd zijn aan het kopen van nieuwe dingen. Spullen. Stapels spullen. Maar de nieuwe dingen worden zo snel oude dingen. We hebben nieuwe dingen nodig om de oude dingen te vervangen.

Ik houd van spullen met knopjes.

o   o   o

Ravi Zacharias, een schrijver waar ik van houd, zegt dat het hart naar verwondering en magie verlangt. Hij zegt dat mannen technologie gebruiken om hun verlangen naar verwondering te stillen. Ravi Zacharias zegt dat het hart ten diepste verlangt naar aanbidding, vol ontzag staan voor een God die we niet kunnen begrijpen en niet kunnen verklaren.

Ik begon na te denken over datgene wat Penny zei en dat wat Ravi Zacharias zegt. Ik reed op mijn motorfiets naar de winkel en vroeg me af of Penny en Ravi goede vrienden zouden zijn. Ineens besloot ik dat ik stom bezig was, enorm verspillend en stom. Ik wist dat we een verlengsnoer in de kelder hadden liggen. Ik wist dat ik eigenlijk naar de winkel ging om boorkoppen te kopen of een laser-waterpas of een druklamp en dat ik geen verlengsnoer ging kopen maar iets anders, iets wat ik tegen zou komen als ik daar was, iets wat me zou roepen vanuit het schap.

Ik had op dat moment niet heel veel geld en met het geld dat ik had, moest ik wijs leren omgaan. Geld is niet van jou, vertelde Rick me eens. Geld is van God. Hij vertrouwt het ons toe om het eerlijk en met een sterk liefdadigheidsgevoel uit te geven.

Ik hoorde een keer een interview met Bill Gates en de interviewer vroeg hem of hij wist hoe rijk hij was, of hij het wel echt kon bevatten. Hij zei dat hij dat niet kon. De enige manier waarop ik het kan begrijpen, zei hij, is door te bedenken dat er niets is wat ik niet kan kopen. Als ik iets wil, kan ik het krijgen. Hij zei dat Microsoft hem heeft gered omdat hij meer geïnteresseerd was in wat hij deed dan in hoeveel geld hij had. Hij zei dat veel rijke mensen niet gelukkig zijn.

Soms ben ik blij dat ik niet veel geld heb. Ik denk dat het geld mij zou bezitten als ik er teveel van had. Ik denk dat ik spullen zou kopen en er niet tevreden mee zou zijn, zodat ik nog meer moest kopen.

Jezus zei dat het voor een rijke moeilijker is om het koninkrijk der hemelen binnen te gaan dan voor een kameel om door het oog van een naald te gaan.

Rick zegt dat geld je gereedschap moet zijn en dat jij het moet besturen en niet het geld jou. Dat betekent als ik een nieuw verlengsnoer wil terwijl ik er al een heb, dat ik degene die ik heb moet gebruiken en de rest van het geld aan mensen moet geven die in zware tijden zitten. Dat betekent dat ik waarschijnlijk ook geen timer voor de lamp had hoeven kopen. Rick zei dat ik geld aan Imago-Dei, onze kerk, moest geven. Hij zei dat tien procent mooi was om mee te beginnen. Dat wist ik al. Het systeem heet tienden en op de een of andere manier is het bijbels. De Bijbel vertelt ook het verhaal van die geweldige mensen in de eerste christelijke kerken die al hun geld aan de kerk gaven en van oudsten die het op basis van behoefte uitdeelden aan de gemeenschap.

o   o   o

Een goede vriend van mij, Curt Heidschmidt, gaf me niet al te lang geleden een preek over tienden. Het was vreemd om van Curt een preek over tienden te krijgen omdat Curt niet zo'n kerkganger is. Hij gaat wel, maar hij heeft er een hekel aan. Mensen die wel naar de kerk gaan, maar er een hekel aan hebben, zijn meestal niet de mensen die gaan preken over tienden, maar Curt sprak een hartig woordje met me.

Curt werkt in een kastenwinkel en vloekt de hele tijd en vertelt vuile grappen. Maar hij geeft zijn tienden wel ongeveer. Hij had altijd een grote pot met geld op zijn klerenkast staan en als hij zijn looncheque had gestort, nam hij altijd tien procent mee van de bank. Contant. Hij nam het geld mee naar huis en deed het in die pot. Er moest wel een paar duizend dollar in zitten. Op een avond was ik bij hem *South Park* aan het kijken en Curt mopperde omdat de kastenwinkel hem niet zoveel betaalde dat hij de motor kon kopen die hij graag wilde hebben.

'Nou,' zei ik tegen hem, 'je hebt vast duizenden dollars in die stinkende pot van je, Curt. Gebruik dat.' Dat was voordat ik wist wat tienden waren.

'Kan niet.'

Waarom niet?'

'Kan niet.'

'Waarom niet?'

'Het is niet van mij, Miller.' Curt ging achterover in zijn leunstoel zitten en keek me aan van over zijn blikje bier.

'Het is niet van jou?' vroeg ik. 'Wie is nou degene die zijn spaargeld bovenop jouw klerenkast bewaard?' Ik wees naar zijn slaapkamer.

'Nou' – hij glimlachte, een beetje in verlegenheid gebracht – 'het is van God.'

'Van God?' schreeuwde ik.

'Ja, het is mijn tiende!' schreeuwde hij terug.

Ik was eerlijk gezegd een beetje geshockeerd. Zoals ik al zei was hij nou niet bepaald een tiendentype. Ik denk dat hij nog geen negen van de tien keer zondags naar de kerk ging en als hij ging klaagde hij er alleen maar over.

'Nou, waarom neem je het dan niet mee naar de kerk om het af te geven?' vroeg ik.

'Ik ben al een tijdje niet meer in de kerk geweest, vandaar.'

'Curt,' zei ik, 'je bent de interessantste persoon die ik ken.'

'Dank je, Don. Wil je een biertje?'

'Ja.' Curt ging naar de koelkast en maakte een paar flesjes bier open.

'Doe jij aan tienden, Don?'

Ik keek hem alleen maar aan. Ik kon het niet geloven. Ik stond op het punt om een preek te krijgen van een vent die waarschijnlijk geabonneerd was op een of ander vunzig motormagazine.

'Nou, Curt, eigenlijk niet.' Toen ik dat gezegd had schudde Curt teleurgesteld zijn hoofd. Ik begon me echt schuldig te voelen. 'Jammer, Don.' Curt bracht een flesje naar zijn mond terwijl hij sprak en onderstreepte zijn zin door flink te boeren. 'Je vist achter het net. Ik geef al tienden van jongs af aan. Ik zou geen betaling willen missen, al kostte het me mijn leven.'

'Droom ik dit?' vroeg ik hem.

'Wat droom je, Don?'

'Dit gesprek.' Toen ik dit zei wees ik van hem naar mezelf.

'Don, luister nou eens goed. Je moet je tienden afstaan. Het is jouw geld niet. Het is van God. Je moet je schamen. Je steelt gewoon van God. Je schrijft nog wel christelijke boeken en je geeft God zijn geld niet eens terug.'

'Nou moet je mij niet van alles in de schoenen schuiven. Jij hebt je geld nou ook niet bepaald aan God gegeven. Het staat nog op je klerenkast.'

Curt boog zich over de grote arm van zijn leunstoel en zei met een Jack Nicholsongrijns op zijn gezicht: 'Oh, maak je daar maar geen zorgen over, grote vent. Dat geld is van God en Hij krijgt het ook. Ik heb nog nooit een cent van God gestolen en dat zal ik ook nooit doen.'

Ik kon echt niet geloven dat me dit overkwam. Ik ga naar Curts huis om *South Park* te kijken en dan wordt me even een schuldgevoel aangepraat.

Curt ging twee weken later op pad en bracht al zijn geld naar de secretaris van de kerk. Meer dan drieduizend dollar. Ik begon me zo schuldig te voelen dat ik er niet van kon slapen.

Daarna sprak ik met Rick af en ik bekende dat ik helemaal geen geld aan Imago-Dei gaf. Rick was bij ons thuis gekomen en we logen over hoe vaak we konden bankdrukken en toen flapte het er ineens uit. 'Ik geef helemaal geen geld aan de kerk, Rick. Geen cent.'

'Oké,' zei hij. 'Interessante manier om van onderwerp te veranderen. Waarom niet?' vroeg hij. 'Waarom geef je geen geld aan de kerk?'

'Omdat ik geen geld heb. Alles gaat naar de huur en de boodschappen.'

'Dat klinkt behoorlijk beroerd,' zei hij, erg bewogen.

'Ben ik dan vrijgesteld?' vroeg ik.

'Nee,' zei hij. 'We willen je geld.'

'Hoeveel?' vroeg ik.

'Hoeveel verdien je?'

'Ik weet het niet. Ongeveer duizend in de maand, misschien.'

'Dan willen we honderd. En je behoort ook te weten hoeveel je verdient. Een voordeel van een deel van je geld weggeven is dat het je ervan bewust maakt waar je geld blijft. God wil niet dat we slordig met ons geld omgaan, Don.'

'Maar ik heb geld nodig voor de huur.'

'Je moet God ook vertrouwen.'

'Weet ik. Ik denk alleen dat het makkelijker zou zijn om God te vertrouwen als ik meer geld had om aan Hem toe te vertrouwen.'

'Dan zou het geen geloof zijn, toch?'

'Nee.'

'Weet je, kerel, ik wil dat je weet dat ik een hekel heb aan dit deel van mijn werk, want het lijkt erop dat ik om geld zeur. Het kan me helemaal niet schelen of we geld van je krijgen of niet. In onze behoeften wordt wel voorzien. Ik wil je alleen zeggen dat je zelf zoveel mist, Don.'

'Zoveel wat?'

'De vrucht van gehoorzaamheid,' zei hij met een hele pastorale blik. 'Als we doen wat God wil dat we doen, worden we gezegend en zijn we geestelijk gezond. God wil dat we een deel van ons geld aan zijn werk op aarde geven. Hij wil dat je over die angst heen komt – de angst om op Hem te vertrouwen. Het is eng, maar het hoort bij het volgen van Christus. Er zijn tijden dat mijn vrouw en ik niet genoeg geld hebben om al onze rekeningen te betalen, maar we weten wat de belangrijkste rekening is. De eerste betaling die we doen is aan de kerk. Dat is het allerbelangrijkst. Als we de rest niet kunnen betalen moeten we eens kijken waar we ons geld aan uitgeven. Er zijn momenten geweest waarop we dat moesten doen. Maar het werkt. We worden er goed in om op God te vertrouwen en we worden goed in het beheren van ons geld.'

De week daarop haalde ik mijn bankrekening leeg. Er stond zo'n acht dollar op en ik gaf het aan de kerk. Een paar dagen later kwam er weer een cheque binnen en ik gaf tien procent ervan aan de kerk. Toen kreeg ik een opdracht van een tijdschrift in Atlanta en toen ik dat geld op mijn rekening stortte, schreef ik een cheque uit voor de kerk. Achter elkaar werd ik gebeld om op retraites en conferenties te spreken, iets wat doorgaans goed betaalt. Iedere keer schreef ik een cheque uit voor de kerk. Sindsdien, sinds dat gesprek met Rick, heb ik net als Curt minstens tien procent van iedere dollar die ik verdien weggegeven. En ik hield nooit te weinig over voor de huur. Meer dan een jaar had mijn banksaldo rond de nul gezweefd en ineens hield ik geld over. Ik besloot om een spaarrekening te openen voor het geval dat ik een keer zou gaan trouwen en een gezin zou stichten en van iedere beetje geld dat binnenkwam, deed ik tien procent naar de kerk en tien procent naar de spaarrekening. Ik werkte met een begroting. Dat had ik nog nooit gedaan.

Maar dat is niet het beste deel. Het beste deel is wat het geven van tienden met mijn relatie met God heeft gedaan. Voorheen had ik altijd het gevoel dat ik met gekruiste vingers naar God toe ging, zoals een kind zich ten opzichte van zijn vader voelt als hij erg gelogen heeft. God wist waar ik was, zijn liefde voor mij was niet anders toen ik wat voor Hem achterhield, maar het is meer dat ik mezelf niet zuiver voelde bij Hem, en je weet hoe dat dingen kan beïnvloeden.

Ik leerde ook dat ik geld aan de armen moest geven. Mijn kerk geeft geld aan de armen, maar ook voor mij was het belangrijk om rechtstreeks geld aan de armen te geven. Ik ging weleens naar de stad en kocht een lunch voor een dakloze. Eerst vond ik het verschrikkelijk omdat ik altijd kerels met slechte tafelmanieren tegen het lijf liep, maar na een tijdje begon ik hun dronken geklets wel te waarderen. Ook al sloeg het nergens op, zij hadden het gevoel dat dat wel zo was, en dat is ook wat waard.

We hebben niet zoveel geld nodig als we hebben. Bijna niemand van ons heeft zoveel geld nodig als dat we hebben. Ze zeggen dat de beste dingen in het leven gratis zijn, en dat is waar.

Lang geleden was ik een tijdje een minimalist. Ik was dat niet opzettelijk, maar mijn vriend Paul en ik hadden het land rondgereisd in een busje, zoals ik al heb verteld. Op een gegeven moment was ons geld op, dus verkochten we het busje en woonden in de bossen. We woonden een maand lang in de Cascade Mountains. We liepen iedere dag door de bossen naar een vakantieoord waar ik wc's in appartementen schoonmaakte en waar Paul badmeester was. Ik at het eten dat mensen na het uitchecken in hun koelkast hadden laten staan. Het was meestal beperkt houdbaar. IJs. Fruit. Kaas.

Ik vertel dit alleen maar omdat we ons nergens zorgen over maakten toen we in de bossen woonden en al helemaal niet over geld. Na een week hield ik op me af te vragen of er wel eten zou zijn. Ik leerde dat mensen kilo's voedsel weggooien en dat er altijd genoeg zal zijn. Ik dacht niet na over de huur, omdat ik geen huur betaalde; het bos is gratis, een geweldige plaats. Ik woonde in een van de mooiste gebieden in heel Amerika, at gratis eten en sliep onder de sterren. Het duurde niet lang voor dat knagende gevoel van angst, het valse gevoel van veiligheid dat geld ons geeft, wegebde.

Ik kan me een bepaalde nacht nog goed herinneren. We waren

er toen drie weken en we liepen in een weiland dat door dikke es-penbomen werd omgeven. Boven me gloeide de machtige hemel en ik voelde me alsof ik er deel van uitmaakte. Alsof de bomen in hun handen klapten en ik daar in de oneindigheid rond zweefde. Ik keek zo lang omhoog dat ik het gevoel had dat ik in de ruimte was. Licht. Geen geld en geen angst.

Het is mogelijk om dat gevoel weer te krijgen. Het is mogelijk om mijn bezittingen geen bezit van mij te laten nemen en om geluk-kig te rusten in de zekerheid die God, en niet geld, kan geven. Ik ben daar een beetje laat achter gekomen. Rick vroeg me hoe het ging met mijn geld, met de tienden en ik vertelde hem dat het steeds beter ging. Hij vroeg me wat ik daarvan vond en ik zei dat ik me goed, vrij en licht voelde. Hij zei dat ik niet verwaand moest worden.

17

Aanbidding

Het mystieke wonder

Een hele tijd geleden las ik een boek over Moeder Teresa. Iemand vroeg haar waar ze de kracht vandaan haalde om van zoveel mensen te houden. Ze zei dat ze van mensen hield omdat ze Jezus zijn, ieder van hen is Jezus, en het is waar omdat het in de Bijbel staat. En het is ook waar dat dit de realiteit tegenspreekt: Iedereen kan niet Jezus zijn. Binnen de christelijke spiritualiteit zijn veel ideeën die de realiteit zoals ik die ken tegenspreken. Een uitspraak als dit maakt sommige christenen boos omdat ze geloven dat aspecten van hun geloof die de realiteit tegenspreken niet waar kunnen zijn. Maar ik denk dat heel veel dingen waarin ons hart gelooft niet logisch klinken. Liefde, bijvoorbeeld; we geloven in liefde. Schoonheid. Jezus als God.

We zijn geschapen wezens en het stelt me gerust om te bedenken dat datgene dat ons geschapen heeft groter moet zijn dan ons, ja zelfs zo groot dat we niet in staat zijn het te begrijpen. Het moet groter zijn dan onze realistische feiten en daarom lijkt het voor ons, die er vanuit onze eigen realiteitszin tegenaan kijken, dat het ons gezonde verstand tegenspreekt. Maar datzelfde verstand moet besluiten dat het wel groter dan de realiteit moet zijn, anders zou het niet te verklaren zijn.

Als we God aanbidden, aanbidden we een Wezen waar onze

levenservaring ons niet de instrumenten voor biedt om het te begrijpen. Als we dat konden, zou God geen ontzag afdwingen. Zo is de eeuwigheid ook iets wat het menselijk brein niet kan vatten. We kunnen het idee van eeuwig leven misschien snappen (alleen omdat geen van ons ooit de dood heeft ervaren), maar kunnen we ook begrijpen wat het betekent om nooit geboren te zijn? Ik zeg dit alleen om te illustreren dat wij, christenen, dingen geloven die we niet kunnen verklaren. En dat geldt ook voor alle anderen.

Ik heb een studerende vriend die bepaalde christelijke schrijvers bekritiseert omdat ze geloven in, zoals hij dat noemt, 'mystiek'. Ik vroeg hem of hij bedoelde dat hij geen mysticus was. Natuurlijk niet, zei hij. Ik vroeg hem of hij in de Drie-eenheid geloofde. Hij zei van wel. Ik vroeg hem of hij geloofde dat de Drie-eenheid drie verschillende personen vertegenwoordigde, die ook één zijn. Hij zei van wel. Ik vroeg hem of dat geen mystiek idee was. Daar moest hij diep over nadenken.

Je kunt geen christen zijn zonder een mysticus te zijn.

Ik sprak pas een dakloze bij de deur van de wasserij en hij zei dat we de Heilige ontheiligen als we van het geestelijk leven wiskunde maken. Dat vond ik erg mooi en troostrijk omdat ik nooit goed ben geweest in wiskunde. Veel van onze pogingen om het christelijk geloof te begrijpen, hebben het alleen maar goedkoper gemaakt. Ik kan de totaliteit van God niet beter begrijpen dan de pannenkoek die ik voor mijn ontbijt maak in staat is mijn complexiteit te begrijpen. Het beetje wat we begrijpen, dat zandkorreltje dat onze hersenen in staat zijn om te pakken, die ideeën zoals God is goed, God voelt, God heeft lief, God weet alles, zijn al voldoende om onze harten voor eeuwig te doen verwonderen over zijn majesteit en eigenheid.

o   o   o

Hier volgt een van de coolste dingen die ik ooit heb gedaan: Afgelopen zomer wilde ik zonsondergangen zien. Ik reed met mijn motorfiets Mount Tabor op en ging op de trappen van het stuwmeer zitten om te kijken hoe de zon de wolken die altijd boven Portland hangen in brand zette. Ik wilde dat tochtje eigenlijk nooit graag maken; ik hing liever voor de tv of maakte een broodje voor mezelf, maar ik dwong mezelf om te gaan. En als ik eenmaal boven was vond ik het altijd geweldig. Het betekende altijd iets voor me om zoveel schoonheid boven mijn stad te zien.

Mijn eerste zonsondergang van dit jaar was de spectaculairste. Bosbranden in Washington State bliezen een lichte, haast onmerkbare nevel door Portland en de wolken hingen precies laag genoeg om de volle weerkaatsing van rood en geel op te vangen. Ik dacht bij mezelf: *Dit is iets wat iedere keer weer gebeurt.* Vanaf mijn plekje op de Tabor kon ik de hele skyline zien, het thuis van meer dan een miljoen mensen. De meeste avonden waren er niet meer dan twee of drie mensen bij mij. Al die schoonheid voltrekt zich boven de hoofden van meer dan een miljoen mensen die het nooit hebben opgemerkt.

Ik begon te denken: Verwondering over God stijgt boven onze rekenkunde en formules uit. Hoe meer ik van mijn pasklare antwoorden afstap, hoe krachtiger het uitzicht is, hoe meer mijn hart de aanbidding binnentreedt.

o   o   o

Ik vind het geweldig dat het evangelie begint met Johannes de Doper die insecten eet en mensen doopt. De religieuze mensen wilden zich laten dopen omdat het populair was geworden, en Johannes gaat tegen hen tekeer en noemt hen slangen. Hij zegt dat het water hen niet helpt. Het zal hun slangenhuiden alleen maar nat maken. Maar als ze het meenden, als ze geloofden dat Jezus zou komen en dat Hij echt zou zijn, dan zou Jezus het leven van het koninkrijk in hen ontsteken. Ik vind dat geweldig omdat religie heel lang mijn valse evangelie is geweest. Maar er zat geen betovering in, geen verwondering, geen ontzag, geen koninkrijksleven dat in mijn borst brandde. En als ik door diezelfde stomme christelijke religie weer in verleiding wordt gebracht, ga ik terug naar het begin van het evangelie en word ik getroost door het feit dat er meer is dan de leegte van rituelen. God zal het koninkrijksleven in mij doen ontbranden, zegt de Bijbel. Dat is mystiek. Het is geen formule die ik uitwerk. Het is iets wat God doet.

Op een avond keek ik naar de zonsondergang tot de sterren tevoorschijn kwamen en terwijl ik opkeek realiseerde mijn verstand of mijn hoofd, ik weet niet welke van de twee, hoe oneindig alles was. Ik ging achterover op het gras liggen en stak mijn hand uit naar... waar? Ik weet het niet. Er is geen boven en beneden. Er is nooit een boven en beneden geweest. Begrippen als boven en beneden zijn uitgevonden om kinderen niet bang te maken, om van mysterie wiskunde te maken. De waarheid is dat we niet weten of er een eind is aan materieel bestaan. Het gaat misschien wel oneindig door, iets wat mijn verstand niet in staat is te bevatten.

Mijn vriend Jason en ik gingen eens naar Joshua Tree en Death Valley en hij had bijna de hele reis een opengevouwen kaart op schoot liggen. Zelfs als ik reed lag de kaart voor hem en hij volgde met zijn vinger de route van de auto en maakte melding van bepaalde steden en meren waar we dichtbij waren. Jason wilde graag weten waar we waren op de kaart (en ikzelf eigenlijk ook wel). Maar ik durfde Jason niet te vertellen over het heelal, dat wetenschappers de uiterste grens ervan nog niet hebben ontdekt, dat niemand precies weet waar we zijn op de kaart.

Ik denk dat we bij het zien van zo veel schoonheid twee keuzes hebben: vrees of ontzag. En dat is precies waarom we proberen om God in kaart te brengen. We willen in staat zijn Hem te voorspellen, Hem te ontleden, Hem neer te zetten in onze honden- en ponytentoonstelling. We zijn te trots om ontzag te voelen en te bang om vrees te voelen. We reduceren Hem tot wiskunde zodat we niet bang voor Hem hoeven te zijn, maar de Bijbel zegt wel dat vrees de passende reactie is, dat het het begin van wijsheid is. Betekent dat dat God ons pijn gaat doen? Nee. Maar ik stond eens op het randje van de Grand Canyon, achter een reling, en hoewel ik nooit over de rand kon vallen, vreesde ik de gedachte alleen al. Het komt door de grootsheid van een plek, de wonderlijkheid van een landschap.

o o o

Ik houd van die scène in de film *Dead Poets Society* waarin Mr. Keating, een Engelse leraar op een elitaire voorbereidingsschool, zijn leerlingen vraagt om het essay 'Inleiding op Poëzie' uit hun literatuurboeken te scheuren. De schrijver van het essay leerde studenten een methode voor het beoordelen van gedichten, compleet met invulschema, en reduceerde hiermee kunst voor het hart tot rekenkunde voor het hoofd. De leerlingen keken elkaar verward aan toen de leraar het essay afdeed als nonsens en hen de opdracht gaf deze bladzijdes uit hun boek te scheuren. Dr. Keating liep met een prullenbak door de rijen en wees de leerlingen erop dat poëzie geen algebra is, geen liedjes van de radio die je kunt beoordelen op een schaal van een tot tien, maar dat het kunst is die doordringt tot in de diepten van het hart om kracht in mannen aan te wakkeren en om vrouwen het hof te maken.

We besteden teveel tijd aan het in kaart brengen van God in een schema en te weinig tijd aan het toestaan van ons hart om ontzag te voelen. Door het geestelijk leven terug te brengen tot een formule beroven we ons hart van verwondering.

Als ik over de complexiteit van de Drie-eenheid nadenk, de 3-in-1 God, kan mijn verstand dat niet vatten, maar ervaart mijn hart verwondering in overvloedige mate. Het is alsof mijn hart euforisch tegen mijn verstand zegt: *Er zijn dingen die je niet kun begrijpen en daar moet je mee leren leven. Je moet er niet alleen mee leren leven, je moet het ook leren waarderen.*

Ik wil je iets over mezelf vertellen wat in jouw ogen misschien een zwakte is. Ik heb verwondering nodig. Ik weet dat de dood komt. Ik ruik het in de wind, lees het in de krant, kijk ernaar op tv en zie het op de gezichten van oude mensen. Ik heb verwondering nodig om te kunnen verklaren wat er met mij gaat gebeuren, wat er met ons gaat gebeuren als dit voorbij is, als onze klus geklaard is en onze kleinkinderen nog op aarde zijn en naar die idiote rapmuziek van hen luisteren. Ik heb iets mysterieus nodig wat gaat gebeuren als ik sterf. Ik moet ergens zijn nadat ik sterf, ergens met God, ergens wat ik totaal niet zou begrijpen als het nu aan me werd uitgelegd.

Aan het eind van de dag, als ik in bed lig en weet dat de kans dat een van onze theologieën precies juist is een kans is van een op miljoen, heb ik er behoefte aan te weten dat God de dingen uitgedacht heeft, dat als mijn wiskunde niet klopt het nog steeds goed met ons komt. En verwondering is het gevoel dat we krijgen als we al onze domme antwoorden, onze vastgestelde regeltjes waarvan we willen dat God er zich aan houdt laten gaan. Ik denk niet dat er een betere aanbidding is dan verwondering.

18

Liefde

Hoe je echt van anderen kunt houden

Toen mijn vriend Paul en ik in de bossen woonden, woonden we daar samen met hippies. Nou ja, een soort van hippies. Ze rookten in elk geval veel hasj. Ze dronken veel bier. En wat hielden ze veel van elkaar, soms misschien teveel, je weet wel, te fysiek, maar ze hielden in elk geval van elkaar; ze accepteerden en waardeerden iedereen, zelfs degenen die hen veroordeelden omdat ze hippies waren. Het was eerst een beetje vreemd om bij hippies te wonen, maar na een poosje begon ik het leuk te vinden.

Het waren geen reizende hippies, hippies van het soort 'verlaat je land en je volk'. Ze waren goed opgeleid, de meesten kwam uit New York en hadden aan de universiteit gestudeerd, hadden een graad in literatuur behaald of waren meester in de rechten geworden, dat soort dingen. Ze wisten alles over Rostandt, Hopkins, Poe en Sylvia Plath. Ze kenden de Amerikanen en de Britten en de moderne Afrikaanse schrijvers, de Cubaanse en Zuid-Amerikaanse. Ze waren zelf boeken, stuk voor stuk waren ze boeken, en het wonderlijke is dat ik in hun ogen ook een boek was. We zochten elkaar op en praatten over literatuur en elkaar en ik kon niet zeggen wat het verschil was tussen de boeken waarover ze praatten en hun levens, ze waren gewoon cool. Ik mocht hen erg graag omdat ze in mij geïnteresseerd waren. Als ik bij de hippies was, voelde ik me niet veroordeeld, ik voelde me geliefd. Voor hen was ik een onuitputtelijke bron van verhalen en standpunten en geweldige literaire visies. Het voelde zo goed om in hun aanwezigheid te zijn, alsof ik speciaal was.

Ik heb nog nooit mensen ervaren die meer van elkaar hielden dan mijn hippies in het bos. Ze staan allemaal in mijn geheugen gegrift, onze avonden bij het kampvuur of in het weiland of in de grotten zijn als herinneringen opgeslagen zoals een favoriete film. Ik haal ze tevoorschijn als ik aan goedheid, zuiverheid en vriendelijkheid moet worden herinnerd.

Het vakantieoord waar we werkten was Black Butte Ranch in centraal Oregon. We woonden nog geen twee kilometer van een bergketen achter een veeafscheiding, in een vallei met statige dennen en bijzondere espen. Er was ook een hertenfamilie en een stekelvarken. De jongens uit New York werkten in Honker's Café, beroemd vanwege de eenden, en Paul en ik hoefden maar bij het meer te gaan zitten en binnen een paar minuten hadden we een hamburger of een milkshake of een stuk taart te pakken, altijd met een glimlach bezorgd, altijd gratis en voor niks. Ze stalen van de rijken om de armen te voeden. We aten voedsel van de rijke tafel van de blanke man. Zo zag ik het, ook al was ik zelf blank.

Als Honker's gesloten was gingen wij naar het café en zetten de jukebox aan. De jongens kozen altijd voor Springsteen en praatten over het leven in New York, over het leven in de stad. Maar ze luisterden nog meer dan ze praatten.

Heel veel wat ik weet over het omgaan met mensen heb ik van de hippies geleerd. Ze waren magisch wat gemeenschap betreft. Mensen voelden zich tot hun aangetrokken. Ze vroegen me waar ik van hield, wat ik vervelend vond, wat ik van dit of van dat vond, van welke muziek ik boos werd, welke muziek me verdrietig maakte. Ze vroegen me waar ik over dagdroomde, waar ik over schreef, wat mijn favoriete plekken in de wereld waren. Ze stelden me vragen over de middelbare school en mijn studie en mijn reizen door

Amerika. Ze hielden van me als van een goed boek, als van een literaire film, en zo voelde ik me ook als ik bij hen was, als een persoon
die door John Irving geschreven was. Ik voelde me niet dik of stom
of slonzig gekleed. Ik had niet het gevoel dat ik de Bijbel niet goed
genoeg kende, en ik was me er nooit van bewust wat mijn handen
deden en of ik wel of niet onvolwassen overkwam als ik praatte. Ik
was me altijd zo bewust geweest van die dingen, maar toen ik bij de
hippies woonde vergat ik mezelf. En toen ik die verlegenheid kwijt
was kreeg ik er veel voor terug. Ik kreeg interesse voor andere mensen. Ik vond ze geweldiger dan films, geweldiger dan tv. De geest
van de hippies was besmettelijk. Ik kreeg geen genoeg van de verhalen over Eddies ballerinavriendin of over Owens epische gedichten.
Ik vroeg hen om hun verhalen nog een keer te vertellen omdat ze
voor mij als geweldige scènes uit mijn favoriete films waren. Ik kan
je gewoon niet vertellen hoe snel die mensen, die hasjrokende hippies, me ontwapenden.

Omdat ik in de veilige cocon van het grote christendom ben
opgegroeid, was ik gaan geloven dat alles buiten de kerk gevuld was
met duisternis en geen liefde kende. Ik kan me nog een zondagavond
herinneren waarop ik als kind in de kerkbank zat te luisteren naar
de predikant die krantenartikelen voorlas. Hij nam er een uur de
tijd voor om de krant door te bladeren en alle artikelen over brute
moorden en verkrachtingen en berovingen voor te lezen en na elk
artikel zuchtte hij en zei: *Vrienden, we leven in een slechte, slechte
wereld. En het zal alleen maar slechter worden.* Ik had me in mijn
wildste dromen nog niet voor kunnen stellen dat er buiten de kerk
mensen waren die zo oprecht liefhadden als de mensen die ik in de
bossen tegenkwam. En mijn hippievrienden waren wel de laatsten
die geloofden dat Christus de Zoon van God was.

Dit verraste me nog meer dan het me verwarde. Tot op dat moment was de meerderheid van mijn vrienden christelijk. Bijna allemaal waren het christenen. Het verbaasde me dat ik buiten de kerk
echte genegenheid aantrof, genegenheid die oprecht leek in vergelij-

king met de soort liefde die ik binnen de kerk had gekend. Ik was nog meer verbaasd toen ik besefte dat ik eigenlijk de voorkeur gaf aan het gezelschap van hippies en niet aan dat van christenen. Het is niet dat ik niet om mijn christelijke vrienden geef of dat ze niet van mij houden, maar mijn hippievrienden hadden iets anders; iets, ik weet het niet goed, echter, oprechter. Ik ben me er van bewust dat dit een provocerende uitspraak is, maar alleen bij hen had ik het gevoel dat ik mezelf kon zijn en bij mijn christelijke vrienden had ik dat niet. Mijn christelijke contacten hebben altijd van die ongeschreven sociale gedragsnormen gehad, zoals niet vloeken en niet op de democraten stemmen en geen moeilijke vragen over de Bijbel stellen.

Ik bleef maar een maand in de bossen. Ik wilde wel langer blijven, maar ik had een baan aangenomen in een christelijk kamp in Colorado en ik wilde me aan de afspraak houden. Hoewel ik maar een maand met de hippies had doorgebracht leek het wel een leven lang. Ik had in die tijd in het bos meer geleerd over mensen, over gemeenschap en geluk en tevredenheid dan in een heel leven waarin ik de achterliggende filosofische ideeën had bestudeerd. Ik had het leven buiten de kerk ontdekt en het stond me aan. Zoals ik al zei, het had mijn voorkeur. Ik nam afscheid en stapte op de bus naar Colorado.

o   o   o

Voor ik de bus weer uitstapte, gooide ik mijn pakje sigaretten weg. Ik wist dat ik niet kon roken als ik in het kamp werkte. De man die me van de bus kwam halen kon de rooklucht die in mijn kleren zat ruiken dus hield hij zich erg stil en stelde maar een paar vragen. Hoewel Paul en ik maar een maand in de bossen waren geweest, hadden we maandenlang door Amerika gereisd en het eerste wat me opviel toen ik bij het kamp kwam was dat dit schone mensen waren; ze streken hun kleren en dat soort dingen. Ze hadden gladgeschoren gezichten en spraken met een glimlach.

Ik mocht ze wel. Ze zagen er in mijn ogen allemaal zo nieuw uit, alsof ze zo uit de etalage kwamen, als Chinese poppetjes of modellen voor de Bananenrepubliek. Er ontstond vrijwel direct geroezemoes over mij. Dat wilde ik niet, maar ik had zo lang gereisd dat ik een paar basisdingen zoals binnen slapen en met bestek eten vergeten was. Sommige dappere teamleden benaderden me om te proberen een gesprekje aan te knopen. Volgens mij dachten ze dat ik gek was want ze praatten heel langzaam en maakten wijde gebaren met hun handen terwijl ze spraken. 'Ik ben Jane. Mijn naam, Jane, jouw naam?'

De kampdirecteur, een zeer conservatief man, liet via een bediende weten dat ik me moest scheren en passende kleding aan moest trekken. Het is waar dat ik een beetje harig was geworden daar in de bossen. Deze mensen hadden regels, ze hadden verwachtingen, en als je je daar niet naar schikte werd je sociaal gemeden. Nou, niet echt gemeden, maar er werd naar je geglimlacht, vooral geglimlacht, geglimlacht en gekeken en gegiecheld als je langsliep in de gang. Ik moet bekennen dat ik het leuk vind om anders te zijn. Ik kreeg meer aandacht door een hippievent te zijn dan wanneer ik normaal was. Ik voelde me stukken beter, superieur, omdat ik niet langer beschermd was. Ik was in de wereld geweest en de wereld had zijn goedkeuring over me uitgesproken.

Ze waren schattig, deze christelijke mensjes. Ik mocht ze wel. Ze herinnerden me aan mijn afkomst, waar ik tijden terug vandaan was gekomen, voor mijn maand in de bossen met de hasjrokers en de hippies en de vrije liefde voor iedereen. Toen de assistente van de directeur zei dat ik me moest scheren, zei ze dat verlegen. Ze wist dat het een stom verzoek was. Hé, luister eens, zei ik tegen haar, ik zal precies doen wat die man wil, want weet je, ik respecteer die man en ik wil geen ruzie. Ze glimlachte terug en zag de genialiteit van mijn emotionele intelligentie.

'Heb je een scheermes nodig of zo?' Ze keek me een beetje meesmuilend aan.

'Weet je,' antwoordde ik terwijl ik tegen de muur in de gang leunde, 'Ik denk dat ik er wel ergens een heb; ik heb nog ergens iets van een rugzak.'

'Weet je niet waar je spullen zijn?' vroeg ze. Ze had duidelijk een primitief, materialistisch, territoriaal voorbeeld gehad.

'O, weet je, waarschijnlijk ligt hij in mijn kamer, of wie weet ergens anders.'

'Nou, misschien moet je hem dan ergens neerleggen waar je hem niet kwijtraakt.'

'Ach, weet je, als ik hem kwijtraak, wat ben ik dan kwijt?' vroeg ik haar.

'Dan zou je je rugzak kwijt zijn,' antwoordde ze nuchter. Ze had een soort van geïrriteerde, vragende blik op haar gezicht.

'Tuurlijk. Tuurlijk, maar weet je, wat zouden we verliezen door onze bezittingen kwijt te raken? Misschien winnen we er wel iets mee, zoals relaties, de schoonheid van goede vrienden, intimiteit, snap je? Dan verliezen we niets als we onze spullen kwijtraken, we winnen er alleen maar mee.'

'Ja,' zei ze. 'Dat is interessant. Ga je nou maar scheren, oké? Als je een scheermes nodig hebt, zal ik er een voor je halen.' Ze werd heel zenuwachtig of zo, wilde dit gesprek echt beëindigen. Ik denk dat ze nog nooit iemand had ontmoet die zo interessant was als ik.

'Ja,' zei ik tegen haar. 'Ja, als ik iets nodig heb, zoek ik je wel op. Dat is lief van je, heel lief.'

'Ach, het is mijn werk,' zei ze.

'Cool. Heel cool,' zei ik.

'Wat?'

'Dat is cool. Je weet wel, op het ijs.'

'Juist.' Ze zei het heel langzaam. Ze stond daar stil en keek alleen maar naar me, alsof ik een grote, mysterieuze puzzel was.

'Vertel eens,' zei ik, de stilte verbrekend, 'hoe noemen jouw mensen jou?'

'Mijn mensen?'

'Ja, je vrienden, de mensen om je heen.'

'Vraag je mijn naam?'

'Precies. Je naam. Wat is je naam?'

'Janet.'

'Janet. Oké. Janet. Planet Janet uit het Jupiterlandschap.'

Lange stilte.

'Juist,' zei ze langzaam.

'Ga je naar school, Janet? Naar de universiteit of gewoon naar de school des levens?'

'Ik heb thuisonderwijs gehad. Volgend jaar ga ik naar Bob Jones.'

'Bob wie?'

'Jones. Dat is een universiteit.'

'Cool. Dat is cool.'

'Luister, Dan,' begon ze.

'Don,' corrigeerde ik haar. 'Mijn naam is Don.'

'Juist,' zei ze langzaam. 'Noemen jouw mensen jou zo?'

'Ja.' Ik denk dat ze me belachelijk probeerde te maken of met me flirtte of zo iets.

'Je moet je scheren,' ging ze verder. 'En ik wilde het je niet zeggen, maar misschien moet je je ook douchen.' Ze flirtte echt.

'Geen probleem, Janet, bedankt voor het zeggen. Ik heb in de bossen gewoond, weet je, in de buitenlucht. Daar heb je geen douche nodig, hè?'

'Daar niet, nee. Maar weet je, nu je bij ons bent, moet je het misschien maar eens proberen.'

'Tuurlijk. Cool om te weten wat de regels hier zijn.'

'Nou, Don, het was zeker interessant om je te ontmoeten. Ik weet zeker dat ik je weer zal zien. Misschien zal ik je dan alleen niet meer herkennen.' Ze gebaarde naar mijn baard en glimlachte.

Eerst wist ik niet wat ze bedoelde, maar toen begreep ik het. Ze bedoelde dat ze me niet meer zou herkennen nadat ik me geschoren had. 'O, ja, cool,' zei ik. 'Misschien niet, hè? Maar maak je geen zorgen, ik zal je er aan herinneren wie ik ben.'

'Juist,' zei ze langzaam, en toen liep ze hoofdschuddend weg.

o　o　o

Op het kamp werden we gestimuleerd om naar de kerk te gaan. Zondags gingen er bussen naar twee verschillende kerken.

Ik had in beide kerken het gevoel dat ze met een zij-en-wij-mentaliteit op tafel kwamen. Zij waren de liberale niet-christenen in de wereld en wij waren de christenen. Opnieuw voelde ik die onderliggende vijandelijkheid ten opzichte van homoseksuelen en democraten en hippie-achtigen. Ik kan je niet vertellen hoezeer ik niet wilde dat liberalen of homo's mijn vijanden waren. Ik mocht ze. Ik gaf om hen en ze gaven om mij. Dat leerde ik in het bos. Ik had me nog nooit zo levend gevoeld als in het gezelschap van mijn liberale vrienden. Het is niet zo dat de christenen met wie ik me had opgehouden slecht gezelschap waren; dat waren ze niet, maar de gemeenschap van de hippies sprak me meer aan omdat die meer vergevingsgezind was, meer, ik weet niet, gezond.

Waar ik in de christelijke gemeenschap vooral tegenaan liep was het feit dat die voorwaarden stelde. Je werd geliefd, maar als je vragen had, vragen over of de Bijbel wel waar was, of Amerika wel een goed land was en of de preek van vorige week wel goed was, was je niet meer zo geliefd. Je werd geliefd met woorden, maar er was zonder twijfel een sociaal product dat je niet kreeg voordat je je aanpaste. Door bij het partijprogramma te blijven verdiende je sociale dollars; door jezelf te blijven niet. Als je gewaardeerd wilde worden, moest je een kloon worden. Dit zijn ruwe generaliseringen, en ze zijn oneerlijk, maar zo keek ik er in die tijd tegenaan. Ik zal je vertellen wat ik heb geleerd.

Ik begon een liberale unitariërkerk te bezoeken. All-Souls Unitarian Church in Colorado Springs was geweldig. De mensen waren geweldig. Net als mijn vrienden in het bos accepteerden ze iedereen die de kerk niet leek te accepteren vrij en open. Ik denk niet dat ze fundamentalisten accepteren, maar dat deed ik toen ook nog niet. Ik voelde me daar op mijn gemak. Iedereen voelde er zich op zijn gemak. Maar van hun maffe theologie moest ik niets hebben. De manier waarop ze de woorden in de liederen veranderden en het feit dat ze de Bijbel negeerden stond me niet aan, maar ik hield van hen en ze mochten mij ook graag. Ik hield van de lachende gezichten, de knuffels, de fijngevoeligheid, de prachtige oude grijze professoren, voormalige alcoholisten en drugsverslaafden, de intellectuele feministen die me met de vriendelijkste, meest authentieke gezichten begroetten, wat ik opvatte als uitnodiging om mijn verhaal te vertellen.

Ik begon te begrijpen dat mijn predikanten en leiders het bij het verkeerde eind hadden, dat liberalen niet slecht waren. Ze waren liberaal om dezelfde reden dat christenen christenen waren, omdat ze geloofden dat hun filosofieën goed, juist en heilzaam voor de wereld waren. Ik was zo opgevoed dat ik geloofde in monsters onder het bed, maar in een dapper moment heb ik gegluurd en trof er een geweldige wereld, een goede wereld aan. Een wereld die eigenlijk beter was dan de wereld die ik kende.

Het probleem van de christelijke gemeenschap was dat we gedragsnormen hadden. We hadden regels en wetten en principes waar we elkaar op afrekenden. Er was liefde in de christelijke gemeenschap, maar het was voorwaardelijke liefde. We noemden het natuurlijk wel onvoorwaardelijk, maar dat was het niet. In de wereld had je goede en slechte mensen. We waren met dat idee opgevoed. Als mensen slecht waren, behandelden we ze als slechteriken of als liefdadigheidsprojecten: Als ze slecht en rijk waren, waren ze slechteriken. Als ze slecht en arm waren, waren het liefdadigheidsprojecten. Het christendom wist het altijd beter; we keken altijd neer op de rest. En dat haatte ik. Ik haatte het vurig. Alles in mijn ziel vertelde me dat het verkeerd was. Voor mij voelde het even verkeerd als zonde. Ik wilde van iedereen houden. Ik wilde dat alles cool was. Ik besef dat dit klinkt als tolerantie en voor velen in de kerk is het woord *tolerantie* godslastering, maar dat is precies wat ik wilde. Ik wilde tolerantie. Ik wilde dat iedereen alle anderen met rust liet, ongeacht hun religieuze overtuigingen, ongeacht hun politieke voorkeur. Ik wilde dat mensen elkaar mochten. Haat was in mijn ogen het product van onwetendheid. Ik was zat van bijbelse ethiek die werd gebruikt als instrument om mensen te veroordelen in plaats van ze te genezen. Ik was christelijke leiders die bijbelse principes toepasten om hun macht te beschermen, die een streep in het zand trokken om het goede leger van het slechte te scheiden, goed zat. Dat kwam omdat ik de vijand had ontmoet in het bos, en ik had ontdekt dat het geen vijand was. Ik vroeg me af of menselijke wezens wel vijanden van God konden zijn.

Maar aan de andere kant, door liberalen lief te hebben, door hun bestaan te bekrachtigen, kreeg ik het gevoel dat ik de waarheid van God verraadde, omdat ik hen aanmoedigde in hun leven zonder God. Ik had het gevoel dat er oorlog werd gevoerd tussen ons, de christenen, en zij, de homoseksuelen, milieuactivisten en feministen. Door een unitariërskerk te bezoeken en oprecht van deze mensen te houden, hielp ik hen, gaf ik hen vreugde in hun leven en dat voelde niet juist. Het was vreselijk om er te zijn.

In die tijd was dit mijn grootste probleem met het christelijk geloof. Met al het gepraat over oprechte liefde, kwam het uiteindelijk neer op voorwaardelijke liefde. Weer deze provocerende uitspraak, maar ik wil je meenemen door het emotionele proces waar ik door ging.

Hoe kon ik de cultuur van het bos en de unitariërskerk samensmelten met de christelijke cultuur zonder de waarheid van de Schrift te verlaten? Hoe kon ik mijn naaste liefhebben zonder het aanmoedigen van datgene waarvan ik echt geloofde dat het ongezonde spiritualiteit was?

Jarenlang had ik er geen antwoord op en ik raakte vreselijk verward. Ik gaf toe om de vrede te bewaren. Ik ging niet meer naar de unitariërskerk, ik schoor me, stopte met het hippiegebeuren en maakte vrienden, goede vrienden, vrienden van wie ik hield en die van mij hielden. Van tijd tot tijd ving ik opmerkingen van mijn vrienden op, opmerkingen over de linkse politiek of over homoseksuelen of Democraten, en ik wist nooit wat ik met die opmerkingen aan moest. In mijn hoofd leken ze juist, maar in mijn hart niet. Ik ging door en terugkijkend denk ik dat we allemaal doorgingen. Zelfs de mensen die die opmerkingen maakten gingen door. Wat moest je anders? Waarheid is waarheid.

o o o

Het zijn altijd de eenvoudige dingen die ons leven veranderen. En die dingen gebeuren nooit als je er op zit te kijken. Het leven onthult antwoorden in haar eigen tempo. Je hebt het gevoel dat je rent, maar het leven is een wandeling. Zo doet God dingen.

Ik kwam tot bewustwording toen ik op een alumnifeestje van Westmont College was. Ik had nooit op Westmont gezeten, maar mijn vriendin Michelle wel, en zij nodigde me uit. Greg Spencer, een professor in de communicatie, zou spreken, en Michelle dacht dat de lezing wel wat voor mij was. Dat was het ook. Meer dan ik kan zeggen. De lezing ging over de kracht van de metafoor. Spencer begon zijn verhaal met aan ons te vragen aan welke metaforen we denken als we aan kanker denken. We gaven hem antwoord, allemaal vergelijkbaar, we *vechten tegen* kanker, we *gaan de strijd aan met* kanker, we vernieuwen onze witte bloedcellen, dat soort dingen. Spencer wees ons erop dat de grote meerderheid aan metaforen die we opnoemden oorlogsmetaforen waren. Ze hadden met strijd te maken. Toen had hij het over kankerpatiënten en hoeveel mensen die kanker hebben zich door die oorlogsmetaforen zwaarder belast voelen dan zou moeten. De meesten zijn banger dan zou hoeven en dit tast hun gezondheid aan. Sommigen hebben het gevoel dat ze zich een weg moeten banen in een levensgevaarlijke oorlog en geven het eenvoudigweg op. Als er een andere metafoor zou zijn, een metafoor die passender zou zijn, zou kanker misschien niet zo dodelijk blijken te zijn.

De wetenschap heeft aangetoond dat de manier waarop mensen over kanker denken hun vermogen om met de ziekte om te gaan en zo hun algehele gezondheid beïnvloedt. Professor Spencer zei dat zijn familie geschokt, bezorgd en misschien wel in tranen zou zijn als hij hen zou vertellen dat hij kanker had terwijl kanker bij lange na niet de dodelijkste ziekte is. De professor zei dat we vanwege die oorlogsmetaforen banger worden voor kanker, terwijl de meeste mensen de ziekte overleven.

Mr. Spencer stelde ons toen vragen over een ander terrein waarvan hij het idee had dat metaforen daar problemen konden veroorzaken. Hij vroeg ons om over relaties na te denken. Welke metaforen gebruiken we als we aan relaties denken? We *waarderen* mensen, schreeuwde ik. Ja, zei hij, en hij schreef het op zijn whiteboard. We *investeren* in mensen, vulde iemand anders aan. En al snel stond het hele whiteboard vol met economische metaforen. Mensen zijn *onbetaalbaar*, zeggen we. Allemaal economische metaforen. Ik was erg verrast.

En toen trof het me ineens. Het probleem met de christelijke cultuur is dat we liefde als een product beschouwen. We gebruiken het alsof het geld is. Professor Spencer had gelijk, en hij had niet alleen gelijk, het voelde alsof hij me genezen had, me uit mijn kooi had bevrijd. Ik zag het ineens duidelijk voor me. Als mensen iets voor ons doen, ons iets geven, cadeaus, tijd, populariteit of wat dan ook, voelen we dat ze waarde hebben, dat ze ons iets waard zijn en misschien zelfs wel dat ze onbetaalbaar zijn. Ik zag het zo duidelijk dat ik het op de bladzijdes van mijn leven voelde. Dit was het wat al die jaren zo had gestonken alsof het bedorven was. Ik gebruikte liefde als geld. De kerk gebruikte liefde alsof het geld was. Met liefde onthielden we mensen die het niet met ons eens waren bevestiging, maar we financierden degenen die het wel met ons eens waren overvloedig.

Mijn daaropvolgende dagen waren gevuld met melancholische

gedachten en zelfonderzoek. Ik gebruikte liefde alsof het geld was, maar liefde werkt niet zo als geld. Het is geen product. Als we ermee handelen, verliezen we allemaal. Als de kerk haar vijanden niet lief-heeft, wordt er olie op hun woede gegoten. Het zorgt er alleen maar voor dat ze ons nog meer haten.

Op persoonlijk niveau gebeurde er het volgende:

In die periode was er een vent in mijn leven, een vent met wie ik naar de kerk ging en die ik eigenlijk niet mocht. Ik vond hem sarcastisch en lui en manipulatief en hij at met open mond, zodat het eten bijna van zijn kin viel als hij praatte. Hij begon en eindigde iedere zin met het woord *kerel*.

'Kerel, heb je Springer gisteren gezien?' zei hij bijvoorbeeld. 'Ze hadden een dikke vrouw in de show die het met een dwerg deed. Het was echt maf, kerel. Ik wil ook wel een dwerg, kerel.'

Over zulk soort dingen praatte hij. Dat vond hij razend interessant. Ik vind het niet leuk als ik mensen niet mag, maar soms voelt het alsof je deze dingen niet in de hand hebt. Ik heb er nooit voor gekozen deze vent niet te mogen. Het voelde meer alsof de antipathie voor hem mij had uitgekozen. Hoe dan ook, ik moest aardig wat tijd met hem doorbrengen want we werkten ook samen aan een tijdelijk project. Ik begon me aan hem te ergeren. Ik wilde dat hij zou veranderen. Ik wilde dat hij een boek zou lezen, een gedicht uit zijn hoofd zou leren of de moraliteit zou onderzoeken, al was het maar als een intellectueel concept. Ik wist niet hoe ik hem bij moest brengen dat hij moest veranderen, dus probeerde ik het met mijn gezicht uit te stralen. Ik rolde met mijn ogen. Ik gaf hem vuile blik-ken. Ik mompelde het woord *loser* als hij niet keek. Ik dacht dat hij mijn afkeuring wel op de een of andere manier zou merken en dat hij zijn leven zou beteren om bij mij in de gunst te komen. Kortom, ik onthield hem mijn liefde.

Na de lezing van Greg Spencer wist ik dat ik verkeerd bezig was. Het was egoïstisch en het zou bovendien nooit werken. Door mijn vriend mijn liefde te ontzeggen, schoot hij in de verdediging.

Hij vond mij niet aardig, hij vond me bevooroordeeld, snobistisch, trots en gemeen. In plaats dat hij naar me toe werd getrokken en wilde veranderen, stootte ik hem af. Ik maakte me schuldig aan het toepassen van liefde alsof het geld was, ik hield het achter om iemand te veranderen in de persoon die ik hem wilde laten zijn. Ik maakte er een zooitje van. En ik was God ongehoorzaam. Ik raakte hier zo erg van overtuigd dat ik er niet van kon slapen. Het was duidelijk dat ik van iedereen moest houden, dat ik blij moest zijn met het bestaan van een ieder en ik was mijlenver van Gods doel verwijderd. De kracht van het geestelijk leven heeft altijd in berouw gelegen, dus dat deed ik. Ik toonde berouw. Ik zei tegen God dat het me speet. Ik verving de economische metafoor in mijn denken door iets anders, een vrije giftmetafoor of een magneetmetafoor die mensen uit het slijk in de richting van genezing trok. Ik wist dat God op die manier van mij hield. God had mij zijn liefde nog nooit onthouden om me een lesje te leren.

Spencer hielp me iets heel eenvoudigs over relaties ontdekken: Niemand zal naar je luisteren tenzij diegene voelt dat je hem of haar mag.

Als iemand voelt dat je hem niet mag, dat je zijn bestaan niet goedkeurt, zullen je religie en je politieke ideeën in zijn ogen allemaal verkeerd zijn. Als iemand het gevoel heeft dat je hem mag, staat hij open voor wat je wilt zeggen.

Nadat ik berouw had getoond was alles anders, maar het verschil lag niet bij mijn vriend maar bij mij. Ik was gelukkig. Voorheen had ik al die negatieve spanning die door mijn ingewanden joeg, die bevooroordeeldheid en trots en afschuw van andere mensen. Ik haatte het en nu was ik bevrijd. Vrij om lief te hebben. Ik hoefde niemand te drillen, ik hoefde niemand te veroordelen, ik kon iedereen behandelen alsof het mijn beste vriend was, alsof het rocksterren of beroemde dichters waren, alsof ze geweldig waren en in mijn ogen werden ze geweldig, vooral mijn nieuwe vriend. Ik was dol op hem. Nadat ik had besloten hem niet meer te veroordelen, ontdekte ik dat hij heel grappig was. Ik bedoel echt hilarisch. Ik bleef maar zeggen hoe grappig hij was. En hij was slim. Behoorlijk pienter zelfs. Ik kon niet geloven dat ik dat niet eerder had gezien. Het voelde alsof ik een vijand kwijt was geraakt en een broer had gekregen. En toen begon hij te veranderen. Het kon me niet schelen of hij dat wel of niet deed, maar hij deed het. Hij begon wat serieuzer voor God te worden. Hij deed een tijdje afstand van televisie, als een soort van vasten. Hij begon te bidden en ging met meer regelmaat naar de kerk. Hij was een geweldig mens die alleen maar beter werd. Ik kon Gods liefde voor hem voelen. Ik vond het fantastisch dat het niet mijn verantwoordelijkheid was om iemand te veranderen, het was Gods verantwoordelijkheid. Mijn deel bestond slechts uit het communiceren van liefde en goedkeuring.

Als ik met iemand praat, zijn er altijd twee conversaties gaande. De eerste is aan de oppervlakte; over politiek, muziek of waar onze monden ook maar over spreken. De andere ligt onder de oppervlakte, op het niveau van het hart, en mijn hart vertelt of ik de persoon met wie ik praat mag of niet. God wil dat beide conversaties oprecht zijn. Dat betekent dat we geacht worden met liefde de waarheid te spreken. Als beide conversaties niet oprecht zijn, is God er niet bij betrokken, dan staan we op onszelf en als we op onszelf staan, brengen we mensen op een dwaalspoor. De Bijbel zegt dat als je tegen iemand praat met je mond terwijl je in je hart niet van die persoon houdt, je net als iemand bent die twee cimbalen tegen elkaar slaat. Je irriteert de mensen om je heen dan alleen maar. Ik denk dat dat heel mooi en heel waar is.

Sinds Greg Spencer me over de waarheid heeft verteld, bid ik of God me wil helpen zijn liefde te voelen voor mensen met wie ik afspreek. Ik vraag God of Hij het zo wil maken dat beide conversaties, die van de mond en die van het hart, waar zijn.

19

Liefde

Hoe je echt van jezelf kunt houden

Ik wilde dat Ani Difranco niet lesbisch was. Op dit moment luister ik naar haar en ik denk dat ik met haar zou trouwen als ze me wilde hebben. Ik zou op de voorste rij bij haar concerten staan en meezingen en op de juiste momenten mijn vuist in de lucht steken en boos worden. En dan later in de bus, zou ze haar hoofd op een kussen op mijn schoot leggen en zouden mijn vingers verstrengeld raken in haar dreadlocks terwijl we naar Charlie Rose op tv keken.

Samen met een paar vrienden liep ik op een avond van the Roseland, waar we naar een concert van Emmy Lou Harris waren geweest, naar onze auto. Ik zag haar in haar bus zitten en Charlie Rose was op de televisie. Ik dacht bij mezelf: *ik vind die show leuk*, en een deel van me wilde op het raam kloppen en vragen of ik binnen mocht komen. Ik zou haar niet lastig hebben gevallen of zelfs ook maar een handtekening hebben gevraagd. Ik zou alleen tv hebben gekeken. Hij interviewde bisschop Tutu, denk ik. Tegen de tijd dat ik thuis was, was het interview voorbij. Als Ani Defranco en ik met elkaar trouwden, zou ik boeken schrijven tijdens de busreizen tussen de steden en 's avonds na de concerten zouden we Charlie Rose kijken en drie of vier keer op een avond mompelen: *Goeie vraag, Charlie, goeie vraag.* Maar niets van dit alles zal gebeuren aangezien Ani Defranco volgens mij niet op mannen valt. Anders zou het aan zijn.

235

Wat je misschien niet van Reed College weet, is dat het er geweldig mooi is. Ik bedoel, de mensen zijn mooi en ik houd van hen. Mijn huisgenoot Grant en ik waren eergisteren nog op de campus en hielpen jonge studenten naar hun studentenhuis verhuizen. We ontmoetten Nathan, voor wie we een bank naar zijn kamer moesten brengen. Grant en ik waren nogal verrast toen Nathan tegen ons begon te praten want hij klonk, zonder gekheid, als Elmer Fudd. Hij was kort en gedrongen en niemand anders behalve Elmer Fudd zelf klinkt meer als Elmer Fudd dan Nathan. Grant begon bijna te lachen, maar we deden erg ons best om naar de persoon achter de stem te luisteren en zo gingen we op weg naar de opslagschuur. Nathan kwam wat los en vertelde dat hij als zomerbaantje bij Los Alamos had gewerkt, waar hij nucleaire wapens onderzocht. Nathan kent het verschil tussen links en rechts niet, wat ik een zeer eigenaardige eigenschap vond, aangezien hij echt een van de slimste mensen ter wereld is. We kwamen bij een kruising en hij wees en sliste in een volmaakt Elmer Fudd dialect (ik ben helemaal niet goed in accenten nadoen): 'Die kant op, Don. Dat is de weg naar de opslag.'

Ik sprak op een conferentie voor predikanten in San Francisco en ik vertelde iets over mijn vrienden van Reed en hoe het is om daar over Jezus te praten. Iemand vroeg me hoe het was om met al die immoraliteit op Reed te worden geconfronteerd en die vraag raakte me omdat ik Reed nooit als een immorele plaats heb beschouwd. En ik denk dat ik het nooit als een immorele plaats heb beschouwd omdat er iemand als Nathan kan zijn die net als Elmer Fudd praat en er is niemand die hem uitlacht. En als Nathan naar mijn kerk zou gaan, de kerk die ik liefheb en waar ik mijn leven voor zou geven, zou hij helaas wel door iemand belachelijk worden gemaakt, weliswaar achter zijn rug om, maar het zou gebeuren en dat is zo'n tragisch iets. Niemand zou moeite doen om erachter te komen dat hij een genie is. Niemand zou weten dat hij er totaal geen moeite mee heeft dat hij zo praat en dat hij het verschil tussen links en rechts niet weet omdat hij vier jaar heeft doorgebracht op een plek waar wie je op het eerste gezicht bent je niet karakteriseert, je geen stempel geeft. En dat vind ik zo geweldig aan Reed College. Ook al zijn er zoveel studenten die seks hebben en drugs gebruiken en wat al niet meer, er is ook een fundamenteel besef dat andere mensen bestaan en belangrijk zijn, en wat dat betreft is Reed voor mij als de hemel. Ik wenste dat alle mensen vier jaar door kon brengen op zo'n plek, de waarheid kon leren, de waarheid dat ze er toe doen, ongeacht hun fouten, ongeacht hun onzekerheden.

o   o   o

Soms word ik een beetje gek van de televisie omdat iedereen er zo goed uitziet, en dat als je door de paden van de supermarkt loopt je nooit iemand tegenkomt die er zo uitziet. Iemand vertelde me eens dat de mensen in Londen je niet zozeer op je uiterlijk beoordelen en ik denk dat dat waar is omdat de acteurs in Engelse films op tv ook niet knap zijn. Ik zit me dan af te vragen of iedereen die kijkt zichzelf dezelfde vraag stelt: Waarom zijn de acteurs in Londen niet knap? En ik weet het antwoord op de vraag al. Amerika is een van de meest immorele landen ter wereld en onze media heeft mensen gereduceerd tot lappen vlees. En zolang ik in dit land leef, zal er altijd die spanning zijn omdat niets van dit alles zal veranderen. Ani Difranco zegt in haar nummer '32 Flavors' dat *ze een reclamemeisje zonder reclame is, dat ze tweeëndertig en nog wat smaken is en dat ze buiten ons gezichtsveld is, zodat we onze hoofden misschien willen draaien omdat we op een dag honger zullen krijgen en alle woorden die we zojuist hebben gesproken willen opeten.* En bijna iedereen die ik ken vind deze regels fantastisch omdat ze spreken van de hemel en van hoop en het idee dat er op een dag een Koning zal komen die zal regeren, door een mystieke daad van liefde, een bestaan waarin iedereen zijn eigen woorden op moet eten omdat we niet toegestaan worden om elkaar te beoordelen op basis van oppervlakkige dingen. En dat vult me met hoop.

Jean-Paul Sartre zei dat de hel andere mensen is. Maar die Indische spreker die ik erg graag mag, Ravi Zacharias, zegt dat de hemel ook andere mensen kan zijn en dat we de macht hebben om iedere dag een stukje hemel in de levens van anderen te brengen. Ik weet dat dat waar is omdat ik het heb gevoeld als Penny of Tony tegen me zegt dat ik iets voor hen beteken en dat ze van me houden. Ik bid vaak dat God me de kracht en de waardigheid wil geven om hun liefde te ontvangen.

Mijn vriendin Julie uit Seattle zegt dat de sleutel tot alles ligt in het in staat zijn om liefde te ontvangen, en wat zij zegt klopt omdat mijn persoonlijke ervaring me dat heeft geleerd. Ik was eerder nooit in staat om liefde te ontvangen, en tot op de dag van vandaag heb ik daar soms problemen mee, maar het is niet meer zoals het geweest is. Mijn oog trof dingen op tv en in de media aan en op de een of andere manier vergeleek ik mezelf daarmee zonder echt te weten dat ik dat deed. Dit vertekende me omdat ik nooit een seconde het gevoel had dat ik iemands complimenten waard was.

o   o   o

Ik had een tijdje verkering met een meisje, die schattige schrijfster uit het zuiden, en ze was geweldig, echt het perfecte meisje. We hadden dezelfde smaak op het gebied van muziek en films, al die belangrijke dingen, en toch kon ik in die relatie niet echt tot bloei komen omdat ik haar ten diepste niet kon geloven als ze haar liefde uitdrukte. Onze liefde was nooit een tweerichtingsgesprek. Ik beseft niet dat ik het deed, maar ik mijn hoofd deelde ik rake klappen uit. Ik noemde mezelf een loser en dat soort dingen. Dit meisje kon niets doen om tot me door te dringen. Ze verklaarde haar gevoelens en daar zou ik blij mee moeten zijn, maar ik had altijd meer nodig en dan baalde ik van het feit dat ik meer nodig had omdat, tja, het is zo zielig als je meer nodig hebt en zo leefde ik binnenin dat conflict. Ik zat op de veranda van Graceland en keek naar de auto's op de rotonde terwijl al deze dingen rondgingen in mijn hart. Er was totaal geen vrede. Ik kon niet eten. Ik kon niet slapen.

Andrew de Protesteerder, die zo op Fidel Castro lijkt, woonde toen in het huis en hij is zo'n geweldige luisteraar dat ik tegen hem praatte en hij zijn hoofd knikte en zei: 'Don, kerel, ik wist helemaal niet dat je je zo voelde.' Maar dat was wel zo. En het werd erger. Ik hing de hele dag lusteloos in huis rond en ik kon geen letter op papier krijgen. In al mijn relaties is het hetzelfde geweest. Altijd was er binnenin mij dat verlangen naar genegenheid, die zielige aap die maar niet van mijn rug af wilde. Ik was niet tevreden tenzij het meisje direct wilde trouwen, tenzij ze er paniekerig over was, en zelfs dan bedacht ik een niet bestaand scenario waarin ze een andere man zou vinden of van me zou scheiden vanwege mijn uiterlijk. Ik werd haast depressief van gesprekken die nooit plaats zouden vinden.

Uiteindelijk zei Andrew dat ik eens af moest spreken met Diane, een mooie getrouwde vrouw die naar onze kerk gaat en over ons moedert en liefde in ons leven blaast omdat de meeste van ons hulpbehoevend zijn. Diane studeerde voor adviseur en Andrew raadde me aan om haar eens naar al mijn problemen te laten kijken. Eerste wilde ik dat niet omdat Dianes man oudste is en ik een paar keer in de kerk had gesproken en iedereen dus dacht dat ik normaal was. Als ik met Diane ging praten zou ze vast thuiskomen en tegen haar man zeggen dat ik gek was en dan zou het de ronde doen in de kerk. En als iedereen denkt dat je gek bent, geef je uiteindelijk toe aan hun druk en wordt je echt gek. Maar ik was wanhopig, dus belde ik Diane.

Ze was mooi en zacht en vriendelijk met een lieflijke stem en ze kwam bij mij thuis en ik zette koffie. We gingen naar mijn kantoor en ik deed de deur dicht voor het geval een van mijn huisgenoten voorbij zou lopen, me met Diane zag praten en erachter kwam dat ik gek was. Ik ging op een stoel zitten en Diane zat op de bank. Ik wrong mijn handen een beetje voor ik van wal stak:

'Nou, eh, Diane, ik heb een relatie met een meisje en ze is geweldig, echt waar. Maar het is alleen zo moeilijk voor mij, snap je?'

'Je bedoelt dat het moeilijk voor je is om gevoelens voor haar te hebben?'

'Ik ben geen homo.'

Diane lachte. 'Zo bedoelde ik het ook niet, Don.'

'Ik heb wel gevoelens voor haar,' zei ik oprecht. 'Weet je, ze zijn zelfs haast te sterk. Ik slaap en eet slecht en heb moeite om aan iets anders te denken. Ik vind het moeilijk om een relatie te hebben en dat is altijd al zo geweest. En dat zorgt ervoor dat ik eruit wil stappen. Ik wil nog liever helemaal geen relatie hebben dan dat ik deze kwelling moet doorstaan. Maar ik heb mezelf beloofd dat ik er deze keer niet voor op de vlucht ga. Maar ik heb het gevoel dat de zin van het leven afhangt van het feit of ze me wel of niet leuk vindt, en ik denk dat ze me leuk vindt, ze zegt dat ze me leuk vindt, maar ik word er gek van.'

'Gaat het erom dat ze je leuk vindt of dat ze van je houdt, Don?'

'Ja, dat laatste ook. Of ze van me houdt of niet.'

Diane zat daar en maakte de hele tijd instemmende geluiden terwijl ik praatte en toen ik haar vertelde dat ik dagenlang niet at, keek ze me aan en zuchtte ze en zei ze *oei* en liet ze me duidelijk weten dat dit gedrag niet normaal en niet gezond was. Ik denk dat ze minder verbaasd was geweest als ik haar zou vertellen dat Elvis Presley nog leefde en dat hij in mijn kledingkast woonde.

Als je schrijver en spreker bent, denken mensen soms dat je maar wat kletst.

'Je lijkt zo normaal, Don. Je hebt gezelschap en je bent schrijver en zo.' Diane keek me verbijsterd aan.

'Ja. Maar er is iets met me aan de hand, toch?'

Ik hoopte half dat ze nee zou zeggen. Ik hoopte dat ze zou zeggen dat iedereen gek word als hij een relatie aangaat, maar dat het helemaal geweldig wordt als er een huwelijk en seks is. Maar dat deed ze niet.

'Ja, Don, dat is waar. Er is iets met je aan de hand.'

'O, man,' zei ik. 'Ik wist het wel. Ik wist gewoon dat ik gestoord ben.' Ik dacht aan die film *A Beautiful Mind* en vroeg me af of mijn huisgenoten wel bestonden of dat die kerels die me maar bleven volgen misschien van de FBI waren.

Diane zag de bezorgdheid op mijn gezicht en antwoordde vriendelijk glimlachend. 'Zo erg is het niet, Don. Maak je geen zorgen. Het is alleen dat je je om de een of andere reden door dit meisje laat benoemen.'

'Wat bedoel je, laten benoemen?'

'Nou, je laat haar bepalen wat jij waard bent. Maar je waarde moet van God komen. En God wil dat je zijn liefde ontvangt en dat je ook van jezelf houdt.'

En het was waar wat ze zei. Ik wist dat het waar was. Ik kon voelen dat het waar was. Maar het voelde ook fout. Ik bedoel, het voelde heel arrogant om van mezelf te houden en liefde te ontvangen. Ik wist dat dat tekeergaan tegen mezelf, het haten van mezelf, niet van God kwam, dat die stemmen niet Gods fluisteringen in mijn oor waren, maar ik had het gevoel dat ik ernaar moest luisteren; ik had het gevoel dat ik moest geloven dat die stemmen de waarheid vertelden.

'God houdt van je, Don.' Diane keek me aan met vochtige ogen. Ik voelde me net Matt Damon in die scène in *Good Will Hunting* waar Robin Williams telkens zegt: 'Het is jouw schuld niet, het is jouw schuld niet,' en waar Matt Damon helemaal flipt en zich in Robin Williams' armen stort en voor hen beiden een Academy Award in de wacht sleept. Ik dacht erover om die scène na te doen met Diane, maar het voelde niet goed, dus liet ik het maar zitten.

'Ja, ik weet het,' zei ik tegen haar. 'Ik weet dat God van me houdt.' En ik wist het ook, ik geloofde alleen niet. Het was zo'n gezwets, psychologisch gebabbel. Ik had het al eerder gehoord, maar het legde de stemmen niet het zwijgen op. Maar er was iets in Dianes moederlijke ogen dat zei dat het waar was en dat had ik nodig; ik had het nodig te geloven dat het waar was. Ik had iets nodig wat ik tegen de stemmen kon zeggen als ze me weer begonnen te roepen.

Diane en ik praatten nog een half uur en ze zei *oei* en ze zuchtte en gaf me het gevoel dat ik gehoord werd. Ze was geweldig en ik voelde me niet een moment stom of zwak dat ik haar mijn verhaal deed. Ik voelde me slechts eerlijk en echt en opgelucht. Ze zei dat ze wat literatuur voor me op zou zoeken en dat ze gauw weer wilde afspreken. Ze zei dat ze voor me zou bidden.

Toen ze vertrok, besloot ik om hier ook voor te gaan bidden. Ik kon niet geloven dat ik er niet eerder voor gebeden had. Het leek alleen nooit een geestelijk probleem. Ik bad en vroeg God om me te helpen erachter te komen wat er mis met me was.

De relatie met dat meisje werd alleen maar slechter. We waren uren aan het bellen en bespraken dan de puzzel die onze relatie was, maar de stukjes vielen niet op hun plaats, wat ik opvatte als een teken van mijn onbekwaamheid en dat maakte me nog verdrietiger dan eerst.

Toen deed ze het; ze besloot dat we het contact zouden verbeken. Ze maakte het uit. Ze stuurde me een brief waarin ze schreef dat ik niet van mezelf hield en daardoor geen liefde van haar kon ontvangen. Ze kon er niets aan doen en dat vrat aan haar. Ik zwierf een uur lang door het huis en staarde maar naar de lege muren, zette koffie, maakte de badkamer schoon, niet wetend of mijn lichaam ging uitbarsten in snikken en tranen. Ik was de wc aan het schrobben toen de stemmen begonnen. Ik had ze al zo vaak gehoord, maar die dag schreeuwden ze het uit. Ze zeiden me dat ik even walgelijk was als de urine op de muur rond de toiletpot.

En toen kwam er een gevoel. Ik weet zeker dat het de stem van God was omdat het gepaard ging met net zo'n overweldigend gevoel dat je krijgt als je naar een symfonie luistert. Het gevoel was eenvoudig: *Hou evenveel van je naaste als van jezelf.*

Ik dacht er even over na en vroeg me af waarom God die zin zo sterk in mijn gedachten zou plaatsen. Ik dacht aan onze naaste buurman Mark die lang en dun en homo is en ik vroeg me af of God me probeerde te vertellen dat ik homo was, wat vreemd was omdat ik nooit homofiele gevoelens heb gehad, maar toen drong het tot me door dat God niet bedoelde dat ik homo was. Hij zei dat ik nooit op dezelfde manier met mijn buurman praatte als dat ik met mezelf praatte. Op de een of andere manier was ik tot de overtuiging gekomen dat het niet goed was om andere mensen grof te behandelen maar dat het oké was om dat met mezelf te doen. Het was alsof God me in een vliegtuig had gezet en me over mezelf heen liet vliegen zodat ik kon zien hoe ik in elkaar zat. Alles viel uit elkaar omdat ik mezelf geen liefde liet ontvangen van mezelf, van anderen of van God. En ik wilde geen liefde ontvangen omdat het zo verkeerd voelde. Ik voelde me niet nederig en ik wist dat ik geacht werd nederig te zijn. Maar dat was onzin en sloeg nergens op. Als het voor mij verkeerd is om liefde te ontvangen, is het ook verkeerd om liefde te geven. Want als ik liefde geef, dwing ik iemand anders om het te ontvangen en dat was iets wat ik verkeerd vond. Dus stopte ik ermee. En ik meen het echt. Ik stopte met het haten van mezelf. Het voelde niet goed meer. Het was niet mannelijk of gezond, dus stopte ik ermee. Dat was ongeveer een jaar geleden en sindsdien ben ik vrij gelukkig geweest. Ik maak geen geintjes. Ik hang niet meer rond terwijl ik slecht van mezelf spreek.

Dat meisje en ik kwamen weer bij elkaar en ze kon het verschil in mij voelen, en het stond haar aan, en ik voelde dat ik een totaal nieuw apparaat bediende. Ik kon niet geloven hoe mooi het was om liefde te ontvangen, om de autoriteit te hebben om van mezelf te houden, om te voelen dat het goed was om van mezelf te houden. Toen mijn vriendin me vertelde hoe ze zich voelde, was ik in staat het te ontvangen en we hadden een normale relatie die uiteindelijk niet bleek te werken omdat we beseften dat we het gewoon niet waren voor elkaar. Toen we er een punt achter zetten, deed dat geen pijn omdat ik erop vertrouwde dat God iets anders voor me had, en als Hij dat niet had, betekende dat niet dat Hij niet van me hield.

Vanaf dat moment, dat moment in de wc, had ik vertrouwen. Raar maar waar.

o   o   o

En zo heb ik leren begrijpen dat je kracht, innerlijke kracht, evenzeer krijgt door het ontvangen van liefde als door het geven ervan. Na het besef dat ik een zondaar ben en dat God me vergeeft, is dit de grootste les die ik ooit heb geleerd. Als je het snapt, verandert het je. Mijn vriendin Julie uit Seattle vertelde me eens dat het belangrijkste gebed dat zij voor haar man bidt is dat hij in staat zal zijn om liefde te ontvangen. En dat is ook het gebed dat ik voor al mijn vrienden bid, want het is de sleutel tot geluk. Gods liefde zal ons nooit veranderen als we het niet accepteren.

20

Jezus

De lijntjes op zijn gezicht

Een man die ik ken genaamd Alan ging het land rond om vragen te stellen aan kerkelijk leiders. Hij ging naar succesvolle kerken en vroeg de predikanten wat ze deden en waarom datgene wat ze deden zo goed werkte. Het klonk allemaal behoorlijk saai, behalve dat ene bezoekje dat hij bracht aan een man genaamd Bill Bright, de leider van een grote gemeente. Alan vertelde dat hij een grote man was, vol van leven, die luisterde zonder zijn ogen af te wenden. Alan stelde een paar vragen. Ik weet niet welke, maar zijn laatste vraag aan Dr. Bright was wat Jezus voor hem betekende. Alan zei dat Dr. Bright daar geen antwoord op kon geven. Hij zei dat Dr. Bright begon te huilen. Hij zat daar in zijn grote stoel achter zijn grote bureau en huilde.

Toen Alan dat verhaal vertelde, vroeg ik me af hoe het zou zijn om zo van Jezus te houden. Ik vroeg me eerlijk gezegd af of die Bill Bright gewoon gek was of dat hij Jezus persoonlijk kende, zo goed dat hij bij het horen van zijn naam in huilen uitbarstte. Toen wist ik dat ik Jezus ook zo wilde kennen, met mijn hart, niet alleen met mijn hoofd. Ik voelde dat dat de sleutel tot iets was.

o   o   o

Een paar maanden geleden keek ik naar een nieuw tv-programma waar het ging over een vrouw wiens zoon ter dood was veroordeeld. Hij had een man vermoord en hem begraven in het bos. Het
programma volgde de vrouw tijdens de laatste dagen van haar zoon.
De camera's waren erbij toen ze haar zoon voor de laatste keer bezocht. De zoon, een jonge zwarte man, zat tegenover zijn moeder in
de bezoekkamer van de gevangenis. De moeder had tranen in haar
ogen en deed haar uiterste best om haar angst en verdriet en verwarring en paniek te verbergen. Ik zat ongemakkelijk op de bank en ik
wilde wel in het scherm kruipen om alles tot een halt te brengen. Ik
kan me herinneren dat ik tegen mezelf zei: *Ik haat dit*, maar ik bleef
kijken. Er was ook een klein meisje, het zusje van de man. Ze zat op
zijn schoot en ze wist niet dat hij ging sterven. Hij zei tegen haar dat
ze zich goed moest gedragen, haar huiswerk moest doen, niet mocht
liegen en naar mama moest luisteren. Daarna lieten ze de moeder zien
terwijl ze een paar dagen later in haar appartement was. Het was een
soort vervallen hotel in de getto, in de achterbuurt en ze vertelden er
niets bij, maar lieten de camera's gewoon draaien terwijl de vrouw
lang het bed heen en weer liep. De kinderen, drie mooie kinderen,
renden heen en weer door de openstaande deur, de hitte in waar de
zon onderging. De telefoon ging en de vrouw liep er naartoe. Ze ging
op de rand van het bed zitten en pakte op. Ze hield hem bevend vast
en luisterde zonder iets te zeggen. Toen zei ze met een grote zucht
ja en legde ze de hoorn neer. Maar hij lag helemaal niet recht op de
haak. Ze viel op haar knieën en stond op, schreeuwde en schudde
haar vuisten tegen het plafond. Ze draaide zich om en vloog de deur
uit, de binnenplaats van het vervallen appartementencomplex op, en
terwijl de camera inzoomde door de openstaande deur was er een
grote zwarte vrouw te zien die instortte op de grond, schreeuwend in
het zand, beukend met haar vuisten.

Veel later, toen ik samen met mijn vriendin Julie terug kwam rijden van Yosemite en naar Patty Griffin luisterde die 'Mary' zong op
haar cd, moest ik weer aan dat programma denken. In dat lied zingt

Patty over Maria, de moeder van Jezus, en wat het voor haar moet zijn geweest dat haar zoon werd gedood. Ze schildert een prachtig beeld van Maria die haar huis aan het schoonmaken is. Terwijl we naar het lied luisterden stelde ik me Maria voor terwijl ze als een razende de toonbank afstofte en de vloer veegde, proberend niet te denken aan datgene wat ze die morgen met haar Zoon hadden gedaan. En ik stelde me Maria voor die de deur uitvloog en op handen en knieën vielen, die met haar vuisten in het zand sloeg en het uitschreeuwde naar God.

Julie en ik reden vanaf Glacier Point naar beneden, en hoewel het koud was draaiden we de verwarming op en deden de raampjes open zodat we door de bomen heen de sterren konden zien. We bleven de repeatknop op de cd-speler maar indrukken en luisterden meer dan veertig keer onafgebroken naar Patty Griffin die over Maria zong. Ik bleef Jezus in mijn gedachten voorstellen als een echt persoon, soms buiten in een wildernis zoals Yosemite Valley, soms bij een kampvuur, pratend met zijn vrienden, soms denkend aan zijn moeder, altijd zijn Vader missend.

Rick leidt een groep met mensen die niet in Jezus geloven maar wel vragen hebben over Hem. Een van de mensen uit het groepje vroeg Rick hoe hij dacht dat Jezus eruit zag; zag Hij eruit zoals de voorstellingen aan de kerkmuren deden vermoeden? Rick zei dat hij dat niet wist. Een van de andere mensen uit het groepje zei heel voorzichtig dat ze dacht dat hij misschien wel op Osama Bin Laden leek. Rick zei dat dit waarschijnlijk erg in de buurt van de waarheid kwam.

Soms stel ik me een Osama Bin Laden-achtige Jezus voor, die met zijn vrienden rond een vuurtje zit. Natuurlijk is Hij niet zomaar wat aan het zeuren, maar Hij luistert echt. Hij drukt er niet een of andere agenda door maar is vriendelijk en begripvol en brengt woorden van waarheid en bemoediging in hun leven. Hij helpt hen te geloven in de missie die ze in zich voelen, de missie die Jezus en het gekke leven dat ze leidden bevatte.

Ik herinner me nog de eerste keer dat ik iets voor Jezus voelde. Dat is nog niet zo heel lang geleden. Ik was met een paar studenten van Reed op een conferentie aan de kust. Er sprak een man die professor was aan een lokale theologische faculteit. Hij sprak vooral over de Bijbel, over hoe we de Bijbel zouden moeten lezen. Hij was overtuigend. Hij leek een emotionele relatie met het Boek te hebben, zoiets als mijn relatie met *Catcher in the Rye*. De spreker las de Bijbel ieder jaar drie keer helemaal uit. Ik had de Bijbel nog nooit helemaal gelezen. Ik had veel van de Bijbel gelezen, maar niet alles en ik las meestal omdat ik vond dat het moest; het was gezond of zo. De vent die sprak vroeg ons om naar buiten te gaan, een rustige plek op te zoeken en de Bijbel opnieuw te leren kennen door hem in onze handen te houden en onze ogen over de pagina's te laten glijden. Ik ging op de trappen van het toiletgebouw zitten en deed mijn bijbel open bij het boek Jakobus.

Jaren terug was ik verliefd op een meisje. Ik bad ervoor en las die avond het boek Jakobus door. En omdat het boek Jakobus over vertrouwen en geloof gaat, had ik het gevoel dat God zei dat ze met me zou trouwen als ik er geloof voor had. Ik was er vreselijk opgewonden over en er viel een last van mijn schouders, maar het meisje gaf haar maagdelijkheid aan een vent uit onze jeugdgroep en ze zijn nu getrouwd. Eerlijk gezegd kon het me niet zoveel schelen. Zoveel gaf ik niet om haar. Ik vertel dit alleen maar omdat in mijn bijbel het boek Jakobus met tien verschillende kleuren is onderstreept. Het ziet er een beetje primitief uit en de gele pagina's herinneren me aan een dag waarop ik zo vurig, zo mooi in God geloofde. Ik las een stukje, misschien een paar pagina's, deed het boek toen dicht, vermoeid en verward. Maar toen we terugkwamen van die conferentie had ik het gevoel dat mijn bijbel me riep. Ik voelde de belofte dat ik niet zou veranderen in een idioot als ik hem las, als ik hem gewoon als een boek las, van kaft tot kaft. Het zou me niet veranderen in een kloon van Pat Buchanan en dat was eerlijk gezegd waar ik me druk om maakte met de Bijbel. Als ik hem las, zou mijn denken simpel worden. Dus begon ik in Matteüs, een van de evangeliën over Jezus. En ik las Matteüs en Marcus en toen ook nog Lucas en Johannes. Ik las die boeken binnen een week of zo en Jezus bracht me erg in verwarring. Ik wist niet of ik Hem wel zo mocht en de tweede dag werd ik al een beetje moe van Hem. Tegen de tijd dat ik aan het eind van Lucas was gekomen, bij het deel waar ze Hem weer zouden doden, waar ze Hem weer aan het kruis zouden doen, gebeurde er iets met mij. Ik herinner me nog dat het buiten koud was, fris, en de blaadjes aan de bomen in het park aan de overkant van de straat werden moe en droog. Ik herinner me nog dat ik aan mijn bureau zat, en ik weet niet meer wat ik nou las of wat Jezus nou deed in het boek, maar ik voelde een liefde voor Hem door me heen stromen. Door mijn rug, mijn borst in. Ik begon ook te huilen, net zoals die Bill Bright.

Ik herinner me nog dat ik dacht dat ik Jezus over naartoe zou volgen, dat het me niet uitmaakte wat Hij me zou vragen te doen. Hij kon gemeen tegen me zijn; het deed er niet toe, ik hield van Hem en ging Hem volgen.

Ik denk dat de belangrijkste gebeurtenis binnen de het geestelijk leven is dat iemand van Jezus gaat houden.

Als ik in de kerk naar voren ga om aan het Avondmaal deel te nemen, om het brood te nemen en het in de wijn te dopen, ervaar ik Jezus soms. Het rood van zijn bloed of de geur van zijn menselijk-heid, en ik eet het brood en verwonder me over het mysterie van wat ik doe, dat ik op de een of andere manier een ben met Christus, dat ik mijn leven van Hem krijg, dat mijn geestelijk leven komt door zijn werk in mij, zijn aanwezigheid in mij.

Ik weet dat onze cultuur de liefde voor Jezus soms ziet als zwak-heid. Er doet een leugen de ronde die zegt dat ik geacht wordt in staat te zijn het leven alleen te leven, zonder hulp, zonder stil te staan en iets te aanbidden wat hoger is dan ikzelf. Maar ik geloof dat er iets is wat groter is dan ikzelf, en ik heb het zelfs nodig dat er iets is wat groter is dan ikzelf. Ik heb iemand nodig die me vol ontzag doet staan; ik moet op de tweede plaats staan bij iemand die alles heeft uitgedacht.

o o o

Hoofdpersonen in verhalen zijn vaak degenen die hun leven inzetten voor iets wat groter is dan henzelf. En in al die verhalen kom ik niemand tegen die nobeler is dan Jezus. Hij gaf zijn leven voor mij, in gehoorzaamheid aan zijn Vader. Daarom houd ik zoveel van Hem. Ik voel het en hetzelfde geldt voor Laura en Penny en Rick en Tony de Rapper. Ik denk dat mijn leven pas echt veranderde toen ik na het lezen van die evangeliën besefte dat Jezus niet van me hield omdat dat moest; Hij hield niet van me omdat dat nu eenmaal het juiste was. Nee, er was iets in mij dat ervoor zorgde dat Hij van me hield. Ik denk dat ik besefte dat als ik naar zijn kampvuur zou lopen dat Hij me zou vragen om te gaan zitten en dat Hij me zou vragen mijn verhaal te vertellen. Hij zou er de tijd voor uittrekken om naar mijn gezwets of mijn uitbarsting van woede te luisteren tot ik zou kalmeren. Daarna zou Hij me recht aankijken en tegen me praten; Hij zou me de waarheid vertellen en ik zou aan zijn stem en de lijntjes op zijn gezicht kunnen merken dat Hij om me gaf. Hij zou me ook terechtwijzen, Hij zou me zeggen dat ik vooroordelen heb over zeer religieuze mensen en dat ik daarmee af moet rekenen; Hij zou me zeggen dat er arme mensen in de wereld zijn en dat ik die van eten moet voorzien en dat dit me op de een of andere manier gelukkiger zal maken. Ik denk dat Hij me zou vertellen wat mijn gaven zijn en waarom ik ze heb, en Hij zou ideeën aandragen over hoe ik ze kan gebruiken. Ik denk dat Hij me uit zou leggen waarom mijn vader vertrok en Hij zou heel duidelijk de manieren aangeven waarop God door de jaren heen voor me gezorgd heeft, alles waar God me tegen beschermd heeft.

o o o

Toen ik Laura's e-mail kreeg waarin ze me vertelde dat ze christen was geworden was ik door het dolle heen. Ik voelde me als Zuid-Afrika op de dag dat Mandela uit zijn gevangenschap werd vrijgelaten. Ik belde haar en vroeg haar of ze een kop koffie met me wilde drinken bij Palio. Ik pikte haar op bij Reed en ze glimlachte en was vol energie. Ze zei dat we veel hadden om over te praten. Heel veel om over te praten. In Palio gingen we ergens achterin zitten en hoewel Laura altijd een hele goede vriendin van me was geweest, had ik het gevoel dat ik deze vrouw nog nooit had ontmoet. Ze wrong zich in allerlei bochten in haar stoel terwijl ze vol vertrouwen sprak over haar liefde voor Jezus. Ik zat daar verbaasd omdat het waar is. Mensen leren Jezus kennen. Dat onvoorstelbare gebeurt echt. En niet alleen bij mij.

o   o   o

Ik was een keer een talkshow aan het kijken. Er werd een man geïnterviewd over jazzmuziek. Hij zei dat jazzmuziek was uitgevonden door de eerste generatie na de slavernij. Dat vond ik erg mooi, want omdat het muziek is, is het heel moeilijk om het op papier te zetten; het is veel meer een taal van de ziel. Ik denk dat houden van Jezus ook iets is wat je voelt. Ik denk dat het iets is wat heel moeilijk op papier valt te zetten. Maar het is er niet minder echt om, niet minder belangrijk, niet minder mooi.

De eerste generatie na de slavernij bedacht jazzmuziek. Het is een muziek die geboren is uit vrijheid. En dat staat heel erg dicht bij het geestelijk leven. Een muziek die geboren is uit vrijheid. Iedereen zingt zijn lied op de manier waarop hij het voelt, iedereen sluit zijn ogen en heft zijn handen op.

o   o   o

Ik wil dat Jezus jou overkomt zoals dat gebeurde met Laura op Reed, zoals met Penny in Frankrijk, zoals bij mij in Texas. Ik wil dat jij Jezus ook kent. Dit boek gaat over de liederen die mijn vrienden en ik zingen. Dit is wat God in ons leven doet. Maar welk lied zul jij zingen als je ziel wordt bevrijd? Ik denk dat het een zuiver en mooi lied is. Als je het al een tijd niet meer gedaan hebt, bid en praat dan met Jezus. Vraag Hem om zich aan jou te openbaren. Vraag Hem vergeving voor je zelfverslaving, vraag Hem om een lied in je hart te planten. Ik kan me niet voorstellen dat je iets beters kan overkomen dan dit. Veel liefs voor jou en bedankt voor het luisteren naar ons zingen.

Dankwoord

Bedankt, Kathy Helmers, voor je bemoediging en hulp om dit boek bij een uitgever te krijgen. Lee en Alice en de rest van het team bij Alive, bedankt voor jullie overvloedige harten en voor het harde werken. Ik ben de mensen van Thomas Nelson veel dank verschuldigd voor hun inzet; die mensen zijn Brian, Jonathan, Kyle, Ashley, Pamela, Laurie, Belinda, Blythe, Amy, Danielle, Kathleen, Carol, Andrea, Paula, Tina, Louetta, Kristen, Jenny, Deonne en de stagiaires Stacey en Sarah. En ook bedank ik de rest van het geweldige team van Thomas Nelson, niet te vergeten de enorme hoeveelheid verkopers langs de weg, die ik niet genoeg kan bedanken. Ook mediatrainer Joel Roberts bedankt.

Mijn vrienden hebben me hun levensverhaal verteld en ze waren zo vriendelijk dat ik over onze relatie mocht schrijven, iets wat kwetsbaar en een opoffering is. Daarom wil ik ook de volgende mensen bedanken: Tony, Penny, Laura, Andrew de Protesteerder, Rick, Mark de Vloekende Predikant, Les, de familie Tunnell, Wes en Maja Bjur, Paul en Danielle, Mike, Josh, Jeremy, Heather, Kurt, Curtis, Mitch, Simon, Trevor, Michael, Sam, Diane, Wes Grant, Julie de Canadese, Matt en Julie Canlis, Rachel Clifton die een tweede moeder was voor velen van ons, de jongens van Graceland en de jongens van Testosterhome. Ook de mensen van Imago-Dei Community van wie ik zoveel houd en mijn familie.

Josh, Gregg en Sono, dank jullie wel dat jullie me op weg hielpen. John enTerri MacMurray, bedankt dat jullie als familie voor
me waren. Ik wil Wes en Maja bedanken dat ik zo lang op hun
zolder mocht wonen en voor hun altijd aanwezige liefde en vriendelijkheid.

Peter Jenkins, bedankt voor je tekeningen en Steve Harmon,
bedankt voor je info over auteurs, videodingen en je aanmoediging.
David Allen, bedankt voor het ontwerpen van de omslag. Je krijgt
nog een exemplaar van me. Ik wil Tony's eindexamenklas op Mult-
nomah bedanken voor het lezen van het manuscript en het geven
van stimulans; in die klas zitten Shemaiah, Lindsey, Toby, Steve en
Nicole. James Prior, bedankt dat je me zo vaak naar San Fran hebt
gebracht en voor je vriendschap. Dit boek is geschreven in Common Ground, Palio, Horse Brass Pub, de koffieshops in het centrum
waaronder Seattle's Best, Vista Springs en een paar andere namen
die ik me niet meer kan herinneren, maar ik wil deze gelegenheden
bedanken voor hun goede koffie en bier. Het openbaar vervoer bedankt dat jullie me overal brachten. Het doet er wel degelijk toe
hoe we ergens komen! Terwijl ik aan het schrijven was luisterde ik
naar Patty Griffin, the Pogues, Bruce Springsteen, Eliot Smith, Lyle,
Whiskeytown, Phil Roy, Big Head Todd and the Monsters, the Jay-
hawks, P.O.D., Tori Amos, Steve Earle, Bob Schneider, Moby, the
Beatles en mijn favoriet van dit moment, Wilco (*Yankee Hotel Fox-
trot* was net uit toen ik met dit project begon en we waren allemaal
verbaasd en blij), dus ook de makers van de soundtrack bedankt.

Bedankt dat je dit boek gelezen hebt. Het betekent veel voor me
dat je er de tijd voor hebt genomen. Ik hoop dat we elkaar op een
dag die niet ver weg is zullen ontmoeten.

Donald Miller heeft voor **Believe Magazine,**
HM Magazine, Killing the Buddha *en vele andere
uitgaven geschreven. Hij spreekt regelmatig over
onderwerpen die met het geestelijk leven, literatuur
en cultuur hebben te maken.
Hij woont in Portland, Oregon.*

*Bezoek voor meer informatie over Donald Miller
of om hem uit te nodigen om te komen spreken:
www.bluelikejazz.com*

*Om Don Rabbit en Don Astronaut als illustratie
te gebruiken, kun je ze downloaden
van www.bluelikejazz.com*

*Voor meer informatie over Dons schrijven en over
de werken van andere prikkelend inspirerende auteurs
kun je een bezoekje brengen aan
www.BurnsideWritersCollective.com*